Un dimanche à la campagne

Vie · Architecture · Tradition

Jacques Dorion

ÉDITIONS DU TRÉCARRÉ

Données de catalogage avant publication (Canada)
Dorion Jacques

    Un dimanche à la campagne : vie, architecture, tradition
    Comprend des réf. bibliogr.
    ISBN 2-89249-828-7
    1. Vie rurale - Québec (Province). 2. Québec (Province) - Conditions
rurales. 3. Constructions rurales - Québec (Province) - 4. Agriculteurs -
Québec (Province) - Biographies. 5. Vie rurale - Québec (Province) -
Ouvrages illustrés. I. Titre.

FC2918.D6721999   307.72'09714   C99-940283-8
F1052.D6721999

Conception graphique, mise en pages, illustrations : Jean-René Caron,
Caron et Gosselin communication graphique
Photogravure : Graphiscan
Révision linguistique : Monique Thouin

Nous reconnaissons l'aide financière du gouvernement du Canada par l'entremise
du Programme d'aide au développement de l'industrie de l'édition (PADIÉ) pour nos
activités d'édition. Nous remercions également la Sodec pour son aide financière.

ISBN 2-89249-828-7

Dépôt légal : 2ᵉ trimestre 1999
Bibliothèque nationale du Québec

Imprimé au Canada

Éditions du Trécarré
Outremont (Québec) Canada

Page couverture : Route de la Montagne, Mont-Saint-Hilaire.
Page précédente : Chemin Notre-Dame, Sainte-Foy.

SOMMAIRE

AVANT-PROPOS

Qui n'a pas l'agréable souvenir d'un beau dimanche à la campagne? Le bon air, un soleil chaud, le temps qui s'écoule paresseusement, les animaux insouciants qui pacagent aux champs, la récolte qui monte imperceptiblement et les enfants, affranchis de la ville, qui retrouvent la clé de l'aventure grandeur nature? Nul doute qu'un tel souvenir est à l'origine du titre que Jacques Dorion a trouvé pour son ouvrage, puisant ainsi dans sa mémoire et dans la nôtre cette image qui nous ramène à nos origines.

Un dimanche à la campagne s'adresse à notre mémoire collective. On y verra combien loin l'agriculture plonge ses racines dans l'humus de l'histoire. C'est un héritage unique et précieux en effet que celui qui nous vient du terroir. L'agriculture a laissé sa marque sur nos paysages, notre architecture, nos traditions, nos toponymes, notre langue... la marque de générations laborieuses qui se sont succédé avec opiniâtreté, d'hommes et de femmes toujours courageux dans l'enchaînement des saisons.

Et de l'entraide... car les agriculteurs et les agricultrices ont un sens inné et immémorial de l'action collective. Devant l'adversité, ils savent remarquablement ne former qu'un. Nul mot, nul exemple, mieux que la corvée, n'exprime cette vérité. « Le rang, c'est la famille élargie », écrit avec justesse Jacques Dorion dans son ouvrage. Et la famille élargie, pourrions-nous ajouter, c'est l'action collective, une vertu que le syndicalisme agricole a hissée au premier rang et qui s'inscrit toujours en toutes lettres sur l'étendard de l'Union des producteurs agricoles.

Il y a maintenant trois quarts de siècle que 2400 cultivateurs se réunissaient à Québec (en 1924) pour fonder l'Union catholique des cultivateurs, devenue l'Union des producteurs agricoles en 1972. Les fondateurs de notre mouvement partageaient un même idéal, celui d'un meilleur devenir pour les hommes et les femmes qui vivent de la terre et pour ceux et celles qu'elle nourrit. Un idéal toujours partagé aujourd'hui. Dans leur Union et par leur union ces gens de cœur ont donné à l'agriculture québécoise ses plus belles réalisations. Autant de fleurons qui parsèment aujourd'hui nos campagnes et auxquels ce livre rend hommage.

Le soixante-quinzième anniversaire de l'Union des producteurs agricoles commémore l'incessante marche en avant des agriculteurs et des agricultrices du Québec. Labourant la terre, traçant les sillons qui reçoivent la semence, engrangeant les récoltes et faisant avec patience mille autres gestes hérités du passé, les producteurs et productrices agricoles ont donné une âme à la terre. C'est elle qu'on sent vibrer aux jours heureux de nos beaux dimanches à la campagne. Bonne lecture !

Laurent Pellerin
Président général de l'UPA

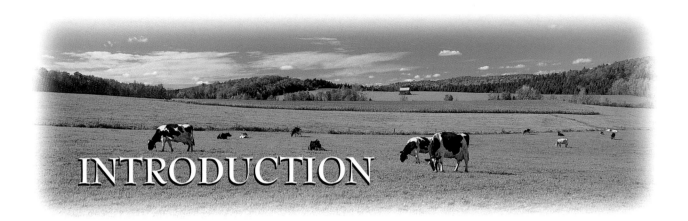

INTRODUCTION

Au printemps, la terre se remet en route. Après la pause hivernale, les champs brunissent au passage de la herse. La graine germera pour offrir à l'été ses plus belles parures. Les couleurs automnales ajouteront enfin aux profits des champs. Pour en témoigner, d'abord des paysages à perte de vue, changeants comme les saisons. Des gens aussi, attachés à leur campagne depuis des générations. Leur solidarité assise sur la tradition ne se dément pas. Résultat : des combats, des échecs, mais surtout des progrès. Nous ne voulons pas raconter l'histoire de l'Union des producteurs agricoles, mais vous faire savourer en mots et en images les fruits de cette solidarité. Raconter la terre et son autorité : parler de tous ceux et celles que la terre unit, parler de ce que la terre évoque à travers ses paysages, son agriculture, son architecture ; parler aussi de la terre qui nourrit.

Ce livre est un hommage à l'agriculture, aux ruraux, que les temps rebaptisent colons, habitants, cultivateurs, fermiers, agriculteurs, producteurs et, quelque part entre les virgules, paysans. Le paysan est celui qui définit un pays, qui le forge. Avec la vache et son lait, le porc et son jambon, le poulet et sa poitrine, l'agneau et son gigot ou la chèvre et son fromage, avec le verger et ses pommes, avec la serre et ses légumes, avec les érables et leur sirop, les paysans sont des gourmands. Gourmands de superbes paysages, de produits du terroir, de travail, de fêtes, de foires, et d'avenir ! Ils m'ont transmis cet appétit. Me voilà devenu gourmand de mes dimanches à la campagne !

Jacques Dorion

Page précédente à gauche : La grange-étable de la ferme Paquet sur la route 132 à Saint-Nicolas, près de Québec.
Ci-contre : Une ferme traditionnelle sur le chemin Haut-des-Côtes à Lac-Simon en Outaouais.

Le paysage des régions, charmante mosaïque

Hangar à bois, témoin du système agroforestier en Outaouais. Montée Guindon, Ripon.

Page précédente : Sur la montée du Rocher, à Saint-Vallier, dans la région de Bellechasse, la clôture de perche évoque l'agriculture traditionnelle.

*U*n artisan du paysage rural

Le paysage agricole du Québec s'exprime d'abord à travers la topographie de ses régions. Plaines, vallées et collines étalent avec beauté et diversité ces mariages entre l'agriculture, la forêt et souvent les cours d'eau. Les régions rurales deviennent les lieux privilégiés de ces différentes mises en scène. Des collines montérégiennes échappées dans la plaine de Saint-Hyacinthe où la culture des céréales prédomine, aux montagnes de la Beauce où la production porcine s'est bien implantée, en passant par la plaine du Saint-Laurent où la vache laitière a établi son royaume, elles forment une mosaïque fort attrayante qui obéit à des règles précises où la topographie n'est pas

Visage de l'agriculture moderne : la balle ronde. Rang des Érables à Saint-Joseph-de-Beauce.

seule en cause mais également le climat, la nature des sols et notre façon de nous approprier l'espace. C'est pourquoi les environnements les plus appréciés sont souvent l'expression de l'équilibre entre le paysage naturel et le paysage humanisé.

Le paysage, c'est à la fois un pâturage avec un troupeau de vaches y broutant, une ferme érigée à flanc de coteau, un versant de colline décoré d'un verger en fleurs, une rivière qui serpente, une terre en friche, etc. Les spécialistes vous diront qu'il faut distinguer le paysage humanisé, c'est-à-dire celui défini par l'homme (ferme, culture, tracés de route, etc.) du paysage naturel (plaine, montagne, forêt, cours d'eau, etc.).

Beauté du verger en mai dans le rang Fisk, à Saint-Paul-d'Abbotsford.

L'agriculteur a été de tout temps un artisan important dans la définition du paysage rural. Cette interaction remonte aussi loin qu'à l'époque de la colonisation alors que l'agriculture fait son nid au sein de la forêt québécoise. Conséquence, l'habitant trace les premiers sillons qui vont se répandre au-delà de ses horizons. Quatre cents ans plus tard, la terre continue toujours d'être tournée, hersée et semée. Les producteurs agricoles sont à la fois les héritiers et les légataires privilégiés de cette tradition.

Lumière et paysage dans le rang Sainte-Madeleine à Saint-André-Avellin en Outaouais.

Les travaux saisonniers : la mue du paysage. Rang de la Belle-Rivière à Saint-Gédéon au Lac-Saint-Jean.

De plaine en colline, de vallée en forêt...

En plus des différences géologiques et climatiques, le paysage rural du Québec doit s'accommoder du relief. La graine pousse mal en montagne et les bêtes du troupeau ne vont pas s'aventurer sur des flancs escarpés à moins de s'appeler chèvres ou moutons. C'est dans les plaines puis dans les vallées et sur les collines que l'agriculture va s'enraciner. Dans la forêt giboyeuse d'origine, le terroir agricole va couver graduellement son espace. La plaine est le lieu du geste large ; les cultures n'y ont pas d'horizon. Les paysages se forgent au gré de l'innovation technologique et les mues sont innombrables au fil des décennies. Pour engrosser la plaine, une machinerie tentaculaire acquise à cette vastitude.

La plaine fertile, c'est d'abord celle du Saint-Laurent, puis celles de l'Outaouais et du Lac-Saint-Jean. Plus au nord, celles de l'Abitibi et du Témiscamingue. Dans ces plaines, si étendues, peu d'obstacles si ce n'est de temps à autre quelques dunes ou marécages qui donneront naissance au paysage de tourbières comme dans la région de Rivière-du-Loup. Parfois aussi, des monts, des collines (monts Saint-Hilaire, Rougemont, Saint-Grégoire, etc.) que l'agriculture a voués à la pomoculture. Autrement, des lacs où l'agriculture venait traditionnellement échoir, comme au Lac-Saint-Jean, avant que la villégiature ne gruge le tapis vert. Enfin, sur cette plaine, la forêt qui s'effiloche comme une dentelle pour stopper les vents d'ouest ou qui se fait bosquet ici et là, petite forêt pour une saison de chasse ou quelques cordes de bois.

L'orme solitaire, beau symbole du paysage agricole traditionnel, rang du Bas-de-l'Île à Sainte-Monique, près de Nicolet.

Le pâturage met en valeur le relief à L'Anse-Saint-Jean.

En arrière-scène, les collines, inférieures à 1200 mètres d'altitude. D'un côté du Saint-Laurent, les premiers versants des Appalaches et, de l'autre, ceux des Laurentides. L'agriculture semble alors buter contre la montagne. La forêt qui gronde en arrière-plan a concédé ses érablières ; chaque printemps, au bout des terres, la montagne fume. Les collines, ce sont aussi les pentes excessives, les affleurements rocheux, parfois même la villégiature qui vole la vedette comme dans Charlevoix ou dans le nord de Montréal. L'agriculture y devient facilement carte postale ; la route est une alternance de hauts et de bas qui donne la perspective nécessaire pour découvrir des images pittoresques et parfois la vocation bucolique d'hier retrouvée par moult citadins. Depuis deux décennies, l'agrotourisme s'y développe avec grand succès.

Enfin, les vallées, couronnées de sols alluviaux, introduisent le mariage à trois de l'agriculture, de la forêt et des cours d'eau. Parmi ces vallées agricoles, celles de la Gatineau, de la Lièvre, de la Petite-Nation et de la Saint-Maurice au nord du Saint-Laurent et de la Matapédia, de l'Etchemin, de la Chaudière, de la Nicolet et du Saint-François au sud. Le paysage y devient plus incertain, tiraillé entre la villégiature qui accapare les bandes riveraines et certains noyaux de village où les vocations industrielle et résidentielle se gonflent. Parfois même, la forêt reprend ses droits sur des flancs de coteaux cultivés il y a quelques décennies à peine. Les plantations de sapins de Noël préparent la fête sur des hectares entiers. Autrement, la terre en friche fait réfléchir le rural ou heurte de plein fouet le citadin. La vallée est-elle en train de se refermer ? Il est difficile de bien comprendre le paysage lorsqu'on a une seule vie pour le voir se déballer !

Le paysage tiraillé entre soleil et orage à Baie-Saint-Paul.

Un paysage façonné de main d'homme

L'épandage de la chaux pour contrer l'acidité du sol. Rang Saint-Isidore à Hébertville au Lac-Saint-Jean.

Pour entrer dans l'intimité du paysage agricole, la route demeure la voie d'accès privilégiée. Jetés dans toutes les directions, les rangs font soupçonner un labyrinthe complexe. Dans le langage des ruraux, le rang a pour noms montée, cordon, chemin, desserte, about, etc., tous issus d'une même logique. Vues à vol d'oiseau, ces routes se fondent, de façon surprenante, en une géométrie articulée. Le paysage façonné répond à des règles précises encore observables. L'habitat rural s'aligne de façon répétitive le long de la route. Pour apprécier cette ponctuation que sont les bâtiments de ferme, il faut remonter loin dans le temps.

Dans cette tradition du paysage humanisé, deux signatures ou deux façons de faire : la seigneurie et le *township*, expression de deux cultures, de deux modes d'implantation, de deux visions. Perpendiculaires au fleuve, orientées sur l'ombre d'un piquet du soleil de 10 heures, les terres étroites et allongées du système seigneurial, qui ont toute vitrine sur le rang. Cette campagne à l'aspect rubanné est la plus vieille, celle des vieux terroirs. Déployé le long du fleuve et de ses principaux affluents (Outaouais, Richelieu, Chaudière, Saint-François, etc.), ce système de partition des terres en lots longs et étroits définit encore aujourd'hui le paysage humanisé. Et pour mieux affirmer le paysage seigneurial, des clôtures bien alignées séparent l'autrui du chez-soi.

Les champs en culture éloignent l'horizon à Sainte-Famille, à l'île d'Orléans.

La forêt cède la pas à l'agriculture à Saint-André-Avellin.

Au-delà des clôtures, cependant, la solidarité entre voisins qu'à peine un ou deux arpents éloignent. Pour confirmer cette pérennité du tissu rural, voici des chiffres : de la première seigneurie concédée à Louis Hébert en 1623, au dernier découpage en 1824, on a dénombré le long du fleuve Saint-Laurent et de ses affluents près de 250 seigneuries. Au total, plus de 12 000 rangs pour personnaliser l'horizon.

Mais la terre n'avait pas fini d'être remuée. Après 1760, le peuplement se poursuit dans les Cantons-de-l'Estrie, sur les terres limitrophes des Laurentides et sur les rives de la baie des Chaleurs. Les longs flancs de collines ou les vallées bien cachées mais fertiles de ces régions aiguisent la convoitise du conquérant.

La seigneurie et le *township* ont un trait commun : la forêt. Là aussi, la trace des empreintes humaines dans son découpage. D'une ferme à l'autre, repoussée à main d'homme au fond des lots, la forêt se serre les coudes. Comme une longue crinière, elle traverse les terres, parfois mince, parfois opulente, semant une certaine désinvolture dans toute cette géométrie articulée. Cette forêt ne chôme pas ; elle nourrit son monde avec ses érablières des Bois-Francs ou le réchauffe ; en Outaouais, il est question du système agro-forestier. En Gaspésie, alors que la pêche en donnait un peu plus que le jardin ou la vache, la forêt serre l'étau sur l'agriculture fragile. Le règne éphémère du paysage est tributaire du rythme des travaux et des saisons.

La lumière matinale dore le paysage à Saint-Léonard-de-Portneuf.

Pour s'approprier ces paysages de forêt, une nouvelle géométrie venue tout droit d'Angleterre émerge, le *township* ou canton. Le coup de ciseau dans l'espace est différent : les rectangles minces de la seigneurie laissent place à des carrés ou à d'autres rectangles bien en chair. Le rapport des longueurs aux largeurs, qui était de 1 à 10 environ dans la seigneurie, n'est plus que de 1 à 1 ou de 1 à 3 dans le *township* : l'îlot de ferme est éloigné de la route, la famille isolée.

Le labour, paysage éphémère sur le chemin des Îles à Saint-Henri près de Lévis.

Denis Rémillard

Le savoir vert bien composté !

Les premiers agronomes diplômés sortent en 1913 de l'Institut agricole d'Oka. Denis Rémillard, fils d'agriculteur, est un élève d'Oka. Sa carrière commence en 1957 ; c'est le début d'une passion, celle de l'agriculture, jamais tarie. Pour le confirmer, cette reconnaissance arrivée 30 ans plus tard : en 1987, il est décoré commandeur du Mérite agricole par l'Ordre des agronomes du Québec. Sa curiosité, son goût de l'innovation mais aussi ses talents de vulgarisateur lui valent cette distinction. « Quand tu vas à la Royale de Toronto puis que tu réalises que les meilleures vaches du Québec ont 52 pouces au garrot contre 57 pouces pour celles de l'Ontario, tu te dis : On a du travail à faire. » Il introduit donc dès 1972 la récolte hâtive du foin, sillonnant en mai les rangs de Plessisville et des environs, haut-parleur sur le toit de son automobile, banderoles au vent, pour indiquer aux cultivateurs le temps de la coupe hâtive du foin.

Il lui a fallu 20 ans pour changer les mentalités : « Du foin, mon grand-père en faisait, mon père en faisait pis moi je sais comment en faire », entendait-il couramment. « Changer quelque chose en pareil cas, c'est comme travailler dans les entrailles de la famille », souligne Denis Rémillard en souriant. De 1973 à 1975, il implique les producteurs dans le Programme d'analyse des troupeaux laitiers du Québec (PATLQ). Le nombre d'abonnés passe alors de 24 à 225. Pour en arriver là, des conférences dans le champ avec un vendeur de machinerie à foin, des diapositives (il en possède une collection de 12 000), des témoignages d'Arthur, son personnage fétiche ; il met aussi sur pied, dès 1973, les premiers voyages d'études pour les agriculteurs en Ontario, aux États-Unis et dans l'Ouest canadien.

Nouvelle culture, nouveau paysage : champ de soya dans le rang Trait-Carré Ouest à Saint-Henri près de Lévis.

De nouveaux paysages se mettent en place

Entre les vallées cloisonnées de l'Outaouais où l'agriculture joue à cache-cache avec la forêt et la grande plaine de Saint-Hyacinthe où la culture des céréales ferme l'horizon, le paysage rural québécois se fait témoin et acteur de l'histoire de l'agriculture. Les paysages vivent mais disparaissent peu à peu, au même rythme que les sociétés qui les ont produits. Puis ils renaissent, tournés vers de nouvelles utilisations. Le paysage raconte, tisse la toile entre l'hier et l'aujourd'hui. Pas toujours facile de comprendre ses histoires mais, dans cette perpective, il nous lègue un héritage à préserver.

Les pâturages communaux du lac Saint-Pierre ou ceux de Baie-du-Febvre sont les témoins de notre agriculture naissante. Inondées chaque printemps, ces communes, héritières directes du système seigneurial, sont des pâturages naturels et isolés mettant le cheptel à l'abri de tout prédateur, avec, pour unique clôture, l'eau qui les ceinture. La commune de Berthier laisse paître veaux, vaches, moutons et chevaux sous l'œil admiratif des 60 000 visiteurs qui chaque année viennent observer le bétail et les oiseaux migrateurs. Et « les communistes », comme on les appelle, détiennent leurs droits depuis 1672. Dans une agriculture coincée entre fleuve et montagne, les aboiteaux de Kamouraska donnent la réplique : pour profiter de la richesse des alluvions, un robinet qui laisse couler le Saint-Laurent juste assez pour laver les terres.

Au tournant du siècle, l'incendie de Roberval installe la culture du bleuet, qui peu à peu configure le paysage rural du Lac-Saint-Jean. Le paysage, mémoire, mais aussi journal de bord des régions du Québec.

De nos jours, des paysages naissent encore sous nos yeux. Des technologies nouvelles à intégrer à l'agriculture. Le désir de faire mieux. La satisfaction de faire sourire celui ou celle qui croque le légume ou qui savoure le jambon à l'érable. Des consommateurs exigeants sont mis en appétit. Les clients pourraient décider d'acheter ailleurs si le prix... Voilà que les liens se tissent entre portefeuille et paysage. La réalité économique parle. Le paysage de la région de Saint-Hyacinthe est d'une grande bavardise à ce sujet.

Le soleil couchant à Huntingdon en Montérégie.

La friche ou la disparition des petites fermes. Rang 2 Est à Neuville.

À la fin des années 60, le Québec est dépendant de l'importation de céréales de l'Ouest canadien, qu'il doit acheter souvent à fort prix. Cette dépendance met en péril la survie de plusieurs fermes puisque la production de porcs, d'œufs ou de lait est largement tributaire de la consommation de grains de provende. La région de Saint-Hyacinthe se fait alors grainerie. Si la terre a donné du foin depuis des décennies, elle saura féconder quelques graines. En moins d'une décennie, un nouveau paysage s'élabore, une nouvelle image se dessine ; le pinceau retouche toutes les parties du tableau qui se fond dans la dorure des céréales ; le blanc et le noir de la vache laitière n'ont plus leur place dans l'œuvre. Scrutons cette toile d'un peu plus près.

Les céréales indispensables à la survie de la ferme. Rang 4 Ouest, Honfleur.

Un fossé de ligne sur le chemin du Roy à Deschambault.

Dans un véritable chantier à ciel ouvert, les clôtures balisant les lignes de lots et assurant l'intimité des troupeaux désertent la plaine. Parallèles à ces défuntes, des fossés devenus désuets, le long desquels essaimaient les bosquets, les arbustes et que la présence de l'orme solitaire dénonçait sur l'horizon. Ils sont désormais délinquants dans cette civilisation du blé d'Inde, fondus dans un réseau de drainage souterrain pour céder le passage à une machinerie appropriée à la culture des céréales. Sur l'îlot de ferme, la grange-étable et des bâtiments d'une autre époque (hangar, poulailler, etc.) sont mis à la retraite. Signe des temps, l'agriculture a aussi ses grandes surfaces capables d'accueillir les nouveaux outils que sont devenues la charrue aux socles multipliés

L'élevage de la dinde modèle le paysage à Saint-Gabriel-de-Valcartier.

ou la herse à disques qui, les bras en l'air, se rend à l'ouvrage. Et pour répondre aux besoins de la culture des céréales, un nouveau type de bâtiment apparaît sur la ferme : le crib, ou séchoir à ventilation naturelle. Parfois placé au milieu du champ, il permet de faire sécher les grains à l'air libre. Il sera remplacé par des séchoirs à ventilation contrôlée. La plaine de Saint-Hyacinthe imprime son choix de la monoculture dans le paysage rural.

Le crib. Rang 7 à Wickham.

Le brise-vent, typique de la culture du tabac dans Lanaudière.

La plantation du tabac à Saint-Thomas, près de Joliette.

L'irrigation, pour favoriser la croissance des plants.

La région de Lanaudière renferme un autre exemple intéressant des facteurs qui prévalent dans la vie et l'évolution des paysages agricoles. Au début des années 30, l'agronome Conrad Turcot mène des expériences pour trouver une culture adaptée aux terres de sable de la région. Il y implante alors le tabac à cigarette. Or, ces terres sablonneuses étaient à l'origine recouvertes d'immenses boisés de pins gris qui ne résisteront pas à l'exploitation forestière du XIXe siècle. La colonisation de ces terres a pour conséquence d'épuiser rapidement les sols sablonneux, qui ne contenaient qu'une faible couche de matière organique. L'abandon des terres les exposa à la force érosive des vents et d'immenses dunes sont encore perceptibles.

Ces terres reprennent vie par l'introduction de la culture du tabac au milieu des années 30. On aménage des brise-vent afin de combattre l'érosion éolienne. En 1937, plus de 100 000 essences de pin, de peuplier et d'épinette viennent ceinturer les fermes à tabac. Ces brise-vent font désormais partie intégrante du paysage de Lanaudière ; tout comme ces plans d'eau aménagés, apparentés aux lacs artificiels, qui servent à irriguer les terres à tabac au cours de la pousse estivale ou à protéger les précieuses feuilles des gelées précoces. La culture a contribué à la naissance de la ferme tabacole, typique de cette région. En plus des serres, ce sont davantage les séchoirs à tabac, anciens et récents, qui définissent cette nouvelle identité, intégrés à des municipalités telles Lanoraie-d'Autray, Saint-Thomas, Sainte-Mélanie, etc.

Mais les paysages tabacoles de Lanaudière sont menacés. Les mouvements sociaux anti-tabac incitent plusieurs producteurs à abandonner cette culture pour adapter leur entreprise à une nouvelle vocation.

Le paysage est de plus en plus livré en pâture à l'appétit de ceux et celles qui le consomment car boire son vin, manger son agneau, déguster son fromage, c'est participer à la définition du paysage. La culture des canneberges dans la région de Saint-Louis-de-Blandford, l'implantation de la vigne en Montérégie, dans la région de Québec et en Abitibi, l'introduction du canola au Lac-Saint-Jean, la concentration de l'élevage ovin dans le Bas-Saint-Laurent, etc. font glisser le paysage vers de nouvelles mutations.

Le paysage agricole témoigne donc avec ostentation du discours que l'homme entretient avec la terre. Il parle librement du système socioéconomique, de la sensibilité esthétique, de la ferveur environnementale de ceux et celles qui, au fil des travaux et des jours, le modèlent constamment. Soumis aux impératifs de l'agriculture, il n'en est pas moins affecté par d'autres interventions qui modifient sa lisibilité : autoroutes, pylônes, voies ferroviaires, etc. Le paysage a besoin de la sensibilité de ceux qui l'habitent pour bien vieillir. Mais encore faut-il faire le bon geste et présumer que le credo économique n'est pas le seul pourvoyeur de la qualité de vie. Depuis 1978, la loi 90 sur le zonage agricole confirme la pérennité du paysage rural, mais ce n'est pas suffisant.

Chaque agriculteur a une responsabilité individuelle, qu'on ne lui a peut-être jamais colportée mais que l'évolution récente de l'agriculture l'oblige à considérer : la terre peut être belle et productive, les bâtiments fonctionnels et esthétiques et les traces du passé faire bon voisinage avec les innovations. Le plaisir du palais et celui de l'œil n'en feront que meilleur ménage. Le paysage se déplie, grand livre ouvert pour qui sait lire !

Une réserve d'eau bien assise au pied de la montagne à Baie-Saint-Paul.

Le village de Saint-Norbert-d'Arthabaska, belle interaction entre le paysage bâti et l'agriculture.

Un dimanche à la campagne pour découvrir des paysages ruraux typiques. Des lieux précis qui illustrent l'interaction entre le paysage et l'agriculture. Des producteurs, des productrices y entretiennent une intimité indéniable avec le paysage par le biais d'élevages et de cultures. Pour s'en rendre compte, il faut voir, aller les rencontrer. Notre choix, arbitraire certes, met en valeur la diversité du paysage agricole des régions.

Saint-Bernard
pour ses porcheries

Saint-Méthode
pour ses bleuetières

Saint-Gabriel-de-Valcartier
pour ses élevages de dinde

Dunham
pour sa vigne

Saint-Paul-d'Abbotsford
pour ses pommes

Sainte-Mélanie
pour son tabac

Inverness
pour ses élevages de bœuf

Coaticook
pour ses entreprises laitières

Saint-Rémi
pour sa culture maraîchère

Saint-Laurent
pour ses fraises

Saint-Charles
pour ses framboises

Saint-Hyacinthe
pour ses céréales

Saint-Pierre-Baptiste
pour son sirop d'érable

Saint-Ubalde
pour sa pomme de terre

Oka
pour ses citrouilles

Saint-Gabriel
pour ses moutons

Saint-Louis-de-Blandford
pour sa canneberge

Saint-Jean-Baptiste
pour ses poulets

Jacques Brodeur

Le « *To be or not to be* » sur le plancher des vaches

Fascinant, il parle avec bon sens et finesse, héritage qu'il dit tenir des agriculteurs. Le bon sens qui se tourne vers le devenir de l'humain, sans égard au discours officiel, comme ce voisin agriculteur qui ne savait ni lire ni écrire mais qui chantait le latin à la messe du dimanche. Jacques Brodeur n'est ni agronome, ni vétérinaire, ni producteur. Adulé par le monde agricole, il enseigne la philosophie « entre la table et l'étable » à l'Institut de technologie agricole de Saint-Hyacinthe. Le mariage ne paraît pas si évident entre philosophie et agriculture. Mais, avec ses talents de communicateur, Jacques Brodeur réussit à mettre la philosophie « sur le plancher des vaches ».

Pour Jacques Brodeur, une seule question : « Qu'est-ce que l'agriculture est en train de faire de vous ? » Il secoue l'assurance de ses étudiants et remet en cause leur credo technologique. « Je pars de l'expérience. Les étudiants découvrent alors que la question des rapports de l'homme avec la terre est vitale, que notre philosophie de la nature détermine notre façon de la traiter, que le concept de qualité de vie a quitté le domaine de l'être pour basculer dans le domaine de l'avoir, que la qualité de vie se réduit désormais à une affaire de possession matérielle, et la gestion d'entreprise à une simple technique au service de la possession. La parole est disqualifiée par le chiffre. Or, l'agriculture ne peut tenir un discours si pauvre. »

Entre le cultivateur religieux et le producteur gestionnaire, un bel espace de réflexion.
Qui sème récolte !

Une tradition
bien établie,
la ferme,
le rang,
le village

La grange-étable, un monument de l'agriculture québécoise. Rang Notre-Dame, Montebello.

Page précédente : Le tissu agricole, une succession d'îlots de bâtiments dans le rang 2 Ouest à Saint-Jean-Port-Joli.

La ferme
l'intimité entre les hommes et les bêtes

Expression de la promiscuité entre l'être humain, les bêtes et la terre, la ferme apporte une réponse concrète aux besoins essentiels de se nourrir, de se loger et de travailler. Lieu de semence, de naissance mais aussi de repos et de récolte. Entre le veau qui va naître et les porcs à faire abattre, des jours, des saisons, des fourrages à récolter, une machinerie à activer, mais aussi des moments pour se détendre. Pour articuler toute cette activité, une double logique : celle de la maison de ferme et celle des bâtiments agricoles. Cette organisation rigoureuse de l'espace est tournée vers les besoins quotidiens. À chaque époque correspond une façon de construire, d'être.

Les fermes du Québec ont mille visages. Derrière cette apparente diversité, cependant, des similitudes, des traits communs. Le premier est l'organisation traditionnelle des bâtiments dans l'espace, tous blottis les uns sur les autres comme pour mieux faire face à l'hiver. C'est

Le foin, beau refuge d'automne pour le minet.

l'habitat groupé. Chaque exploitation se donne les allures d'un petit hameau. Cette économie de l'espace consacre à la terre sa vocation première, de la semence à la récolte. Elle traduit aussi une parcimonie de gestes pour besogner d'un bâtiment à l'autre.

Les bêtes animent le paysage et sont l'objet d'une incessante fascination.

Le second trait est cette promiscuité typique au régime seigneurial qui lie la ferme et le rang. Ce besoin d'intimité fait se loger la maison et les bâtiments à quelques mètres de la route.

Maison et bâtiments en belle harmonie à Saint-Arsène près de Rivière-du-Loup.

De la ferme, on voit les gens, les événements, les habitudes défiler ; la ferme est comme un regard jeté sur le rang, une façon discrète de savoir. De la balançoire sous l'arbre, on salue le voisin ; du potager, main tendue, on lui exhibe ses premières carottes ; l'automne, sous les pommiers, on partage une même crainte des premières gelées qui pourraient gâter le fruit. Quotidiennement, le camion de lait se fait horloge de 10 heures. Bras levé, sans nuire à l'ouvrage, les salutations s'échangent.

De la maison et des bâtiments, il faut aussi retenir la chorégraphie dans le paysage. À l'intérieur de cet îlot de bâtiments qui définit la ferme, des variantes, des subtilités héritées de la tradition ou encore résultant de besoins contemporains. On parle alors de la ferme-cour,

dans laquelle la disposition des bâtiments, maison comprise, tend à former les limites d'une cour intérieure ; ce type d'implantation semble surtout répandu dans les Cantons-de-l'Estrie. Il y a aussi la ferme-rue, où la maison et les bâtiments s'alignent les uns à côté des autres, généralement pour mieux profiter de l'ensoleillement. Et puis, il y a la ferme-bloc ; dans ce dernier cas, on est en présence d'un ensemble architectural qui regroupe sous un même toit plusieurs bâtiments juxtaposés aux fonctions diverses. Ce type de construction est encore visible dans la municipalité de Saint-Esprit, dans Lanaudière. Ferme-cour, ferme-rue, ferme-bloc, autant de visages de l'habitat groupé. À l'opposé, la ferme éclatée, née de l'agriculture moderne qui éparpille sur le lot ses constructions. Annonciateurs de ce nouveau concept, les élevages spécialisés.

À l'horizon du potager, la maison jamais bien éloignée...

*Des fermes dispersées dans le paysage
à Saint-Michel-de-Bellechasse.*

De la croupe affaiblie du cheval au tracteur de 200 forces, de la chaudière à lait à la trayeuse automatisée, du foin séché à l'air du temps au menu calibré de la bête, bien peu d'années entre l'ancienne et la nouvelle quincaillerie. Bien peu d'années aussi pour apprendre à parler des sols, de la santé des bêtes, de la mécanique de la machinerie, de l'environnement, de la génétique, de l'informatique, de génie rural, etc. Et pour loger tout ce savoir, des fermes en mutation. Presque une révolution du paysage de la ferme. Des spécialistes défilent pour aider le producteur, qui ne peut coiffer tous les chapeaux : agronome, vétérinaire, banquier, ingénieur en bâtiment, machiniste agricole, technicien en prélèvements de toutes sortes.

Tout autour des bâtiments de ferme traditionnels, des collines qui moutonnent de cultures, de pâturages, de forêts, ou encore la plaine, pour laquelle l'agriculture n'a jamais caché sa préférence. Dans ces paysages de plaines, de vallées et de collines aussi, des bâtiments dispersés. Exception sur la ferme d'hier, voilà que cette dispersion s'impose sur la ferme nouvelle. Il est d'usage que sur la ferme traditionnelle la cabane à sucre se soit égarée à l'extrémité de la terre, au cœur des arbres, bâtie à flanc de coteau ou de montagne, orpheline de ferme. La « petite grange » a aussi dérivé : construite dans « le clos des vaches » ou se soulevant sur la ligne d'horizon, elle fait bande à part. Elle n'est plus que le vestige d'une autre façon de penser et de faire : préserver le foin de la pluie en le cantonnant près des lieux de fenaison.

À la manière d'autrefois.

La grange-étable ne cesse de s'étirer à mesure que le nombre de producteurs décroît.

Les bâtiments de ferme de conception récente intègrent le bureau de travail, les données informatisées sur les bêtes, les réserves de nourriture. Les producteurs y entretiennent une fréquentation assidue avec le progrès, la nouveauté, le rendement. L'économie du geste accompagne l'économie de marché. Face à toutes ces nouvelles réalités, la restauration des anciens bâtiments semble malheureusement écartée. La ferme se renouvelle, bien assise sur la technologie. Mieux faire pour le bien-être de tous : moins de bâtiments mais de plus grande superficie, des revêtements qui rendent désuet le pinceau, un élevage ou une culture devenus spécialisation. Dans ce nouveau paysage de ferme, des constructions : les porcheries, les vacheries, mais aussi les serres, ces yeux de vitre de la terre, royaume de l'horticulture, le poulailler à étages avec ses 18 000 sujets, et enfin les silos qui font leçon d'humilité au clocher d'église.

La spécialisation des élevages fait son chemin. Des bâtiments à grande surface surgissent porteurs d'une nouvelle chorégraphie : les porcheries sont exilées, loin du noyau traditionnel, souvent érigées à l'orée des bois. Bien difficile d'encapsuler les odeurs. Pourtant, on y est presque. La vacherie est demeurée fidèle à la tradition alors que le poulailler affiche moins de certitude. La ferme est éclatée certes, mais, entre la maison et les bâtiments éloignés, une communication hors pair s'est établie grâce évidemment au quatre-roues et au tracteur climatisé, mais il y a beaucoup plus.

La ferme Berthely inc., médaillée d'or du Mérite agricole, dans le rang 4 Ouest, à Honfleur.

Fleurs, potager et maison de ferme, mariage ancestral joliment représenté à Saint-Vallier, dans la région de Bellechasse.

La maison sera moins sensible aux mutations si ce n'est dans son enveloppe architecturale. Autrement, elle inaugure la ferme. Bien positionnée au premier plan, elle sait tenir derrière elle les bâtiments agricoles, plus costauds. Ainsi, jour et nuit, le regard peut surprendre l'intrus ou la bête errante. Entourée du potager ou du verger, ombrée de quelques arbres ou sujette à quelques attentions horticoles, elle se voulait souvent le plus beau bâtiment de la ferme. Attention ! ces derniers ne sont plus en reste. L'aménagement paysager a canalisé la fierté de certains producteurs, qui laissent courir la sève : fleurs, arbustes, bosquets, arbres habillent les bâtiments.

Au-delà des apparences, la maison de ferme réussit à préserver son symbole. Elle est toujours le siège social de la ferme. On y revient plusieurs fois par jour. Pour les repas d'abord, qui font taire la machinerie et baisser les bras ; pour les discussions aussi, qui tamisent l'information parfois complétée par la télévision ; pour le repos enfin, avec les siens, sécurisant, indispensable, faiseur de descendance. Régulièrement aussi, pour les amis, la parenté avec qui l'on partage ses joies, ses souvenirs et ses doutes. Et pour encore les calculs, les projections, les budgets rigoureusement élaborés de façon à être certain que les jours meilleurs vont se poursuivre.

La ferme traditionnelle, avec sa douzaine de bâtiments, avait l'allure d'un petit village chuchotant. On y retrouvait la grange-étable, le poulailler, la poussinière, la porcherie, la bergerie, l'écurie, le hangar à voiture, le hangar à bois, la grainerie, la boutique, la remise, la laiterie, la glacière, le fournil, le four à pain et la maison avec sa cuisine d'été. Ceinturés d'arbres d'ornement, du verger et du potager, ces établissements de ferme traditionnels sont pour la plupart disparus. Il s'en trouve heureusement quelques beaux spécimens, qui ont conservé bon nombre de leurs caractéristiques d'origine. Ces propriétés sont privées.

Ferme Petit, chemin de la Seigneurie, Saint-Roch-des-Aulnaies
Ferme Roy, chemin des Pionniers, Saint-Arsène
Ferme Bélanger, 145, chemin du Lac, Saint-Augustin-de-Desmaures
Ferme Ernest Lajoie, 237, rang Saint-Jean-Baptiste, Saint-Urbain
Ferme Raymond Laverdière, 376, rang des Chutes, Saint-Patrice-de-Beaurivage
Ferme Ronald Duncan, 309, route du Canton (route 148), Saint-Philippe-d'Argenteuil

Scène pittoresque de lever du jour sur le chemin des Îles, à Pintendre.

♣ ♣ ♣

♣ ♣ ♣

La ferme Bélanger, bel ensemble agricole traditionnel de qualité remarquable situé sur le chemin du Lac, à Saint-Augustin-de-Desmaures.

L'agriculture contemporaine a aussi ses joyaux. Que ce soit dans la production laitière, porcine ou avicole, le Québec compte plusieurs établissements de ferme où le mariage de l'agriculture, de l'architecture et de l'environnement paysager donne lieu à des réussites exceptionnelles. Voici quelques adresses. Ces propriétés sont privées.

Ferme Berthely inc., 404, rang 4, Honfleur (production laitière)

Ferme Leduc, rang Saint-Jean-Baptiste, Sainte-Madeleine (production laitière)

Ferme Martinco et Fils, rang 13, Sainte-Séraphine (production porcine)

Ferme Marie-Claire-Lafrenière, Saint-Charles (production avicole)

Ferme Pierre Bélanger, rang de la Rivière-du-Sud, Saint-Esprit (production avicole)

Ferme Georges Parent, 293, rue Principale, Saint-Gabriel (production ovine)

L'agriculture moderne a aussi ses beaux fleurons : la ferme Leduc à Sainte-Madeleine en Montérégie.

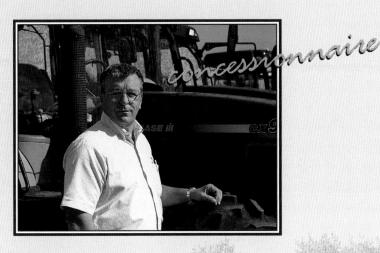

Paul Raymond

L'outillage,
le signet des saisons

Sur sa chemise de travail propre se lit l'inscription « J.P. Raymond depuis 1944 ». La date de fondation de l'entreprise n'est pas étrangère au phénomène de la mécanisation des fermes. Et parmi les quelque 400 concessionnaires de machinerie agricole que compte le Québec, les doyens campent leurs débuts à la fin des années 30. Un outillage agricole rudimentaire issu en partie des Forges du Saint-Maurice va suppléer à l'outil artisanal fabriqué par l'habitant. Le taillandier, le charron ou le forgeron façonnent l'outillage requis. Les plus entreprenants transformeront leur boutique en manufacture de machinerie agricole : Alfred Bernier de Lotbinière, Matthew Moody de Terrebonne, Charles P. Rodier de Montréal-Ouest, Alfred Desjardins de Kamouraska.

Certains autres deviendront concessionnaires autorisés. Dans cette foulée, Émile Raymond de Lachute, le père, démarre son entreprise pour apporter un revenu d'appoint à la ferme familiale. « Je suis venu au monde en 1942 dans la machinerie agricole. J'aimais l'agriculture mais j'étais pas bâti pour être un agriculteur », énonce Paul Raymond. De la charrue à manchon, en passant par l'engin stationnaire, au tracteur de 150 chevaux, il en a vu défiler, de l'outillage. Toute cette expérience le fait devenir prophète. « L'avenir ? Des tracteurs téléguidés, plus puissants, des herses de 20 mètres de large, une intervention dans les champs réglée par satellite ». De quoi faire rêver son monde !

L'école de rang, à l'origine du système d'éducation dans nos campagnes. Ci-dessus, celle du rang Petite-Ligne à Saint-Alexis non loin de Joliette.

 # Le rang
une grande famille

Entre ces îlots de ferme accrochés au rang, bien plus qu'un lien physique, qu'une route qui se fait vitrine. Des liens invisibles construits par des générations successives. Des générations de familles qui se croisent, s'entremêlent, s'élargissent au point de fatiguer la gymnastique des noms propres, réunies entre les quatre murs de la maison et que seul le temps peut contenir.

Au-delà de la réalité physique, le rang c'est d'abord la famille élargie, celle qui fait petit-cousin avec le troisième voisin, celle dont les grands-parents étaient voisins ou celle dont les ancêtres se fréquentaient « au bas de la rivière ». Et de l'étranger ou du citadin qui a pris un bout de terre on dira : « Ce n'est pas du monde de par icitte ». La nouvelle circule vite.

Dans la besogne que tous répètent quotidiennement, la conversation établit ses racines. Pluie et beau temps d'abord, si précieux à la récolte. Machinerie dernier cri, bêtes et cultures... entre ces conversations improvisées, des moments plus solennels. Jusqu'au milieu des années 50, le rang se partage entre le pouvoir des hommes et celui de Dieu ; d'un côté l'école de rang, la chapelle, parfois le cimetière, le calvaire ou la croix de chemin ; pour sacraliser le tout, la visite annuelle du curé à la maison, la visite hebdomadaire à l'église. Autrement, les conversations se délient ailleurs dans le rang. La beurrerie, la fromagerie, le moulin à scie et à farine, ou la boutique de forge... autant de lieux où échanger.

Quelques municipalités prêtent encore grande attention à ce patrimoine. Dans le rang Petite-Ligne, à Saint-Alexis, l'école de rang campée dans son environnement original fait

remonter le temps. Au Lac-Saint-Jean, d'anciennes beurreries et fromageries surprennent, par exemple la Fromagerie Perron à Saint-Prime. À La Malbaie, dans le comté de Charlevoix, la boutique de forge Cauchon a fait l'objet d'une conservation intégrale.

Des gestes sympathiques au prolongement de la tradition qui sauteront le siècle avec tout autant d'aisance : la carte d'invitation adressée à ses premiers voisins pour le mariage de l'un des siens ; la poignée de main qui propage la sympathie de tout le rang face à la mort ; les marteaux réunis qui donnent le coup d'envoi à la corvée légendaire. Lorsque vient le moment de se départir de sa terre, si la relève est absente, c'est le voisin immédiat qui aura priorité. Décide-t-on de faire encan, tout le rang s'y retrouvera car « on connaît la machinerie ». Autrement, des réunions, des assemblées qui ballottent le Québec de la province au pays et

Vue du tissu rural de Saint-Joseph-de-Beauce.

d'un voisin rouge à un voisin bleu la parole a parfois du mal à traverser la clôture en temps d'élection. Des cercles de rang aussi que le syndicalisme agricole a recyclés ; des cercles de fermières qui coiffent humblement l'artisanat ; des Chevaliers de Colomb préoccupés de l'avenir collectif et qui répandent le geste gratuit pour aider plus pauvre que soi car la campagne a aussi ses misères.

Le rang n'est pas que le rang. Le producteur s'accommode aussi du voisinage des mots : la côte désigne les habitations s'alignant le long du fleuve, comme la côte de Beaupré près de Québec ; la montée ou la descente établit un lien perpendiculaire entre les rangs ; la région de Rigaud est particulièrement florissante de montées ; l'about, appelé aussi mitan ou pointe, permet de récupérer les erreurs d'arpentage en conservant la géométrie du rang ; le chemin de ligne ou la grande ligne marque une séparation importante entre deux cantons, deux seigneuries ou deux paroisses ; le désert, lui, contrairement à son sens usuel, désigne un déboisement récent : près de l'aéroport Jean-Lesage, à Sainte-Foy, on retrouve toujours le toponyme Les Grands Déserts.

Et pour baptiser toutes ces routes, des noms évocateurs de faits et d'histoires lointains et récents: le rang de la Terre Rouge, des Pelletier Jumeaux, des Acadiens, de la Petite Anse, les Coteaux, la côte des Beaux Biens, le Cotillon, l'Éventail, le Roule-Billot, le Brise-Culotte, la rivière des Envies, le Vide-Poche, l'Embarras, la Cavée, les Belles-Amours, le Petit Bras, la Pointe du Jour, le Fer à cheval, le Bas-Saint-Louis, le Haut-Saint-Olivier, etc.

Rang Bois-Franc, Issoudun.

Rue Turgeon, Lévis.

La croix de chemin

Rang des Mines,
Saint-Augustin-de-Desmaures.

Route 132, Saint-Vallier.

Rang des Mines,
Saint-Augustin-de-Desmaures.

Chemin des Pères, Lac-Simon.

L'attrait des grands espaces, une réalité séduisante pour les agriculteurs européens. Chemin Girard à Saint-Augustin-de-Desmaures.

Mais voilà que les rangs changent, que la famille s'élargit. Le rang devient une voie d'accès sur l'extérieur, une route qui amène à l'autoroute... Il y a belle lurette que le producteur a des associés hors du rang, car il est bien fini le temps où il faisait tout lui-même : périodiquement, le camion de moulée d'une entreprise commerciale vient ravitailler les bêtes ; l'inséminateur permet le renouveau du troupeau ; le vendeur de machinerie courtise

ses clients ; à l'automne, la terre est blanchie avec la chaux d'une carrière régionale. À l'agronome, on confesse ses projets et ses difficultés ; et puis, périodiquement, des soirées d'information syndicales mettent en vue le beurre d'ici sur la table. Le rang n'est pas une voie à sens unique. L'agriculture intéresse désormais beaucoup de gens, parfois venus de loin. Souvent, des Suisses agriculteurs en mal d'espace reprendront à leur compte le patrimoine de générations antérieures. Parfois aussi, des Belges, des Allemands ou des Français. Des liens se tissent, des cultures flirtent et voilà que le rang, comme un petit écran, se fait témoin et acteur de migration et de mondialisation.

Parmi les nouveaux venus, des néo-ruraux rassasiés de quelques arpents redonnent vie à des lieux sans avenir que la baisse constante du nombre de producteurs agricoles a multipliés ; des néo-ruraux avec un pied à la ville et l'autre à la campagne ; des néo-ruraux d'un village voisin qui « ont bien aimé le coin » : elle enseigne, lui travaille « dans le bureau ». Parfois aussi, des néo-ruraux qui se démasquent une vocation tardive et qu'un fromage ou qu'une confiture rendra célèbre.

Voilà que l'air de la campagne attire ceux qui n'y sont pas nés ; et ils sont de plus en plus nombreux à vouloir être de la visite du dimanche. Mais cette visite du dimanche ne se contente plus du sirop d'érable. On veut toucher le pie de la vache, voir la brebis agneler ou la tomate rougir en serre. Le phénomène a pour nom l'agrotourisme. Pour accueillir l'autre, le rang a désormais son gîte du passant, sa visite guidée à la ferme, son kiosque agricole, son musée rural, partagé entre ses vocations agricole et touristique. Un nouvel avenir se façonne. Pour le signifier, des affiches, des aménagements paysagers, des constructions. Route des vins, route du cidre, route des saveurs, etc. Le goût du Québec à travers ses campagnes. Une nouvelle façon de sympathiser entre ruraux et urbains.

Le village de Saint-Jean, à l'île d'Orléans, vu de Saint-Vallier.

L'église presbytérienne de Saint-Gabriel-de-Valcartier : le dernier repos des ruraux.

Le village
l'appel de Dieu

S'il est un bâtiment, hormis les dépendances de ferme, qui s'associe naturellement à la campagne, c'est bien l'église du village. Son entrée en scène ne date pas d'hier. Le clocher est un point d'appel dans le paysage, l'assignation sonore du rendez-vous dominical. À moins qu'il ne faille se rendre d'urgence chez le curé pour lui demander la permission de ramasser son foin le dimanche, comme cela se faisait à une certaine époque ; on ne veut perdre à la fois sa récolte et son âme ! Autrement, après la messe, le perron de l'église se transforme en salle des nouvelles : « il est question de vent, de ventes et de gréments, de labours à finir, d'espoir et de récolte, d'amour et du voisin qui va marier sa fille ». Tradition promise à de beaux lendemains. Le perron n'est pas réservé aux producteurs agricoles ; s'y rencontrent les générations, les familles anciennes de la paroisse, les nouveaux épris de curiosité pour ce patelin d'adoption, le maire peut-être avec quelques conseillers... C'est l'occasion de faire le tour de la paroisse sans bouger d'un pas. Presque un voyage virtuel !

*Le renflement du rang,
à Saint-Thuribe, dans Portneuf.*

*L'église et le presbytère, le cœur
du village de Saint-Thuribe.*

Au quotidien, l'église c'est la boussole de chacun. L'épicerie est près de l'église ; la caisse populaire, le bureau de poste, le foyer des vieux aussi... La cloche répand l'écho de la messe dominicale, d'un mariage, d'un baptême ou d'une mort. Dans certains villages, l'église offre encore le gîte même si le prêtre a passé le pouvoir à des organismes communautaires : on retrouve dans le sous-sol la bibliothèque municipale, le local du cercle des fermières et la salle funéraire. Le sous-sol de l'église est devenu un espace multifonctionnel. Apercevoir de sa terre deux, trois, plus rarement quatre ou cinq, et incroyablement six ou sept clochers grattant le ciel est pour un producteur la confirmation d'un panorama remarquable. Les producteurs du rang 4 Ouest de Saint-Vallier dans Bellechasse pourront compter avec vous les sept clochers qui accrochent leur regard.

L'église, d'abord érigée dans le rang, comme celle du chemin La Rouge à Sainte-Angélique, près de Papineauville.

Cet attachement à l'église est presque génétique. Il faut savoir que le village n'est qu'un renflement du rang. Sur ses vieux jours, l'appel de Dieu se fait plus pressant. Aussi bien morceler quelques lots, à la croisée des chemins, pour y construire l'église, y aménager le cimetière, puis le presbytère, puis l'école. Nul village sans église, la recette est connue. Tout autour de l'église, des fermes mais aussi des « emplacitaires ». On achète un petit emplacement, d'où le vocable. Les habitations des emplacitaires et des artisans se serrent les coudes le long de la rue principale, blotties près de l'église ; les commerces se

faufilent ici et là, entre les habitations, à l'origine souvent de nouvelles rues, toujours accouplées à la rue principale. Le village souffre d'embonpoint. Magasin général, cordonnerie, boulangerie, ébénisterie, moulin à scie, etc., se déploient aux abords de l'église. Et pour nourrir ceux du village, on échange les œufs, la viande, le lait contre quelques sous. La banque trouve que cette monnaie verte a bonne odeur. À compter des années 1800 les clochers prolifèrent dans les campagnes : à titre indicatif, de 1815 à 1850 on passe d'une cinquantaine de noyaux (hameaux, villages) à plus de 300.

Cent cinquante ans plus tard, les villages s'interrogent. Pour nombre d'entre eux, l'église est sous le coup de la respiration artificielle, donnée une fois la semaine par un prêtre itinérant ; l'école ne trouve plus ses enfants ; le bureau de poste, l'épicerie, la cordonnerie, etc., n'ont pas survécu au coup de balai. L'activité commerciale et industrielle se concentre dans un bourg voisin ; ce dernier a emprunté tout le maquillage de la ville avec son centre commercial, son affichage et ses développements résidentiels ; la campagne a ses chefs-lieux imbus de mondialisation. Entre les deux, d'autres villages conservent ou retournent à leur patron d'origine. Sur la rue principale dite Saint-Joseph, Notre-Dame ou Saint-Jean-Baptiste, les fermes sont en train de recoudre le cœur du village, au rythme des saisons, là où l'industrie et le commerce ont échoué ou n'ont jamais osé s'aventurer. L'intimité entre le village et l'agriculture ne pourrait être plus étroite. Près de l'église, des céréales ou du fourrage, des bêtes pour paysages du dimanche. L'église est presque une

Une chapelle de procession, rue des Érables à Neuville.

intruse en plein champ que seule l'histoire de l'implantation du village, ce renflement du rang, peut commenter. Les paroissiens des rangs n'en conservent pas moins encore le lien qui les unit à leur communauté : l'église et le cimetière où reposent les leurs et où ils seront probablement inhumés.

Le village de Lotbinière bien appuyé à la bande riveraine.

L'architecture, une expression identitaire

Beautés du patrimoine rural traditionnel sur le chemin Royal, à Saint-Pierre à l'île d'Orléans.

Page précédente : rang Grande-Ligne à Saint-Alexis près de Joliette.

*L*e bâti qui nous raconte

L'architecture rurale au Québec est une adaptation concrète de l'homme à son milieu. En composant avec le climat, le sol et la topographie, tout en réagissant aux nécessités fonctionnelles de l'économie du moment, le paysan va apporter diverses solutions pour conserver les aliments, loger les bêtes et exploiter les richesses de la terre. Ce qui est vrai pour la société rurale traditionnelle l'est encore pour l'économie rurale contemporaine. Marteau en main, l'homme ne négligera pas le sud, pas plus que les vents dominants ; il érigera avec le matériau que la nature lui offre : bois, pierre, herbe à lien, etc. Du caveau à légumes traditionnel de la côte de Beaupré aux porcheries modernes, l'architecture témoigne du contexte agroéconomique dans lequel l'agriculteur évolue.

Cette architecture détermine aussi la physionomie des régions en y insérant une logique du développement agricole. Les bâtiments ruraux sont des monuments témoins de la vie agricole d'ici et, au fil des décennies, ils s'ajoutent au patrimoine. Bien plus qu'une simple enveloppe, c'est l'expression d'un savoir-faire, le reflet d'une agriculture campée dans le temps. Des siècles plus tard, nous avons le devoir de garantir ce patrimoine rural, une mission chancelante à laquelle certains producteurs mais aussi des néo-ruraux apportent un souffle nouveau qui inspire sa mise en valeur. Bien conserver ce patrimoine rural pour mieux reconnaître ce que l'on a aujourd'hui, d'abord pour les siens, pour faire le pas d'hier à demain,

assurer une continuité historique qui est le legs véritable, trait d'union entre les générations. Et cette volonté collective d'être soi, authentique, attire le visiteur, qui y voit résolument l'expression de l'âme du pays.

À travers cette architecture donc, l'identité, qui colle à la région, lui est typique : celle qui se forme dans la versatilité des sols, des matériaux disponibles, de certaines influences culturelles ou de la ténacité de l'un des nôtres. Entre la ferme traditionnelle aux multiples bâtiments et la ferme contemporaine spécialisée, une architecture qui définit le pays. Il ne faut pas renier l'une pour l'autre, d'où la nécessité de sauvegarder les deux afin de ne pas se couper l'herbe sous le pied.

L'architecture témoigne de l'époque qui l'a vue naître.

Beau mariage de la maison et de la cuisine d'été à Saint-Nicolas.

La maison de ferme : des liens serrés avec la culture et l'élevage.

La maison de ferme

Le bâti rural se profile dans le paysage par deux types de construction : la maison d'habitation et les bâtiments de ferme. Entre les deux, un trait net. C'est probablement pourquoi l'expression *maison de ferme* s'est retirée du vocabulaire des ruraux. Elle ne s'est d'ailleurs affranchie que récemment des carottes, des pommes de terre, des oiseaux de basse-cour et même du cochon et du mouton. La maison de ferme qui se distinguait jusqu'au milieu du présent siècle de l'architecture mais aussi des fonctions de la maison de ville va capituler. Loin d'être un noyau exclusif à l'homme et à sa famille, la maison de ferme tissait des liens serrés avec les cultures et les bêtes.

Pour en parler, des témoins intègres, éparpillés un peu partout dans la vallée du Saint-Laurent, des maisons qui coiffaient sous un même toit l'agriculteur mais aussi le maraîcher et l'éleveur. C'est la maison-bloc. Importée de Picardie, de Bretagne, elle a pignon sur rue au XVIIe siècle à Montmorency, à l'île d'Orléans et dans la région de Lachine. Peu de traces si ce n'est dans des documents officiels. Cette promiscuité entre les activités agricoles et domestiques ne se poursuit pas moins : la maison de ferme abrite la laiterie et le caveau à légumes ; on y entrepose les viandes au grenier. Au fil du temps, ces activités se greffent au corps principal de la maison sous forme

Beau prototype de la maison-bloc dans le rang Charlotte à Saint-Liboire en Montérégie.

d'appentis. Le poulailler ou basse-cour s'ajoute parfois à la liste. La municipalité de Neuville, près de Québec, conserve de beaux exemples de ces « maisons de ferme ».

Au tournant du XIXᵉ siècle, la maison de ferme reste perméable à l'activité agricole avec l'apparition de la cuisine d'été, qui contient certes les migrations saisonnières de ses habitants mais aussi celles des bêtes : durant la saison estivale, le soubassement de la cuisine d'été sert d'abri aux poules, canards, oies et dindes ou aux cochons et aux moutons alors qu'un enclos ceinture l'espace extérieur ; à Saint-Vallier dans Bellechasse, cet usage semble particulièrement répandu. Durant la saison hivernale, la cuisine d'été sert de réfrigérateur pour la conservation des aliments et des viandes.

La maison-bloc n'a pas dit son dernier mot ; une nouvelle offensive se dessine, cette fois sous l'influence anglo-saxonne. On juxtapose à la maison de ferme une série de bâtiments accrochés les uns aux autres, à la file indienne, et la maison-bloc renaît. Quelques beaux spécimens de cette formule peuvent être vus dans plusieurs municipalités de Lanaudière, dans la région de Mirabel et dans les Cantons-de-l'Estrie. Les maisons-blocs s'échafaudent à partir de deux ou trois, voire quatre bâtiments de ferme qui viennent se greffer au carré de la maison. Ces bâtiments se jouxtent généra-lement de façon perpendiculaire au mur arrière de la maison, mais parfois ils s'étirent dans le prolongement de la façade avant. Cette dis-position permet au producteur agricole de circuler d'un bâtiment à l'autre sans subir les inconvénients de l'hiver. Traditionnellement, les bâtiments qui s'accolaient à la maison étaient la cuisine d'été, le carré à bois, une remise à voitures, un atelier, la porcherie et le poulailler.

Le potager, près de la maison, pour mieux répondre aux visites quotidiennes.
Rang 3 à Saint-Simon, dans la région de Bagot.

Quant aux combles, ils servaient de grenier. Au fil des décennies, l'usage des bâtiments a évolué en fonction des besoins du milieu ; l'avènement du chauffage central a fait disparaître le carré à bois, la remise des voitures à chevaux a été remplacée par le garage, et la porcherie et le poulailler ont été évacués pour répondre aux nouvelles normes sanitaires.

Rang de la Montagne, Saint-Paul-d'Abbotsford.

Chemin du Roy, Deschambault.

Les modèles urbains investissent le tissu rural depuis le début de ce siècle : la maison à toit plat qui ouvre les combles et est conçue pour mieux utiliser l'espace urbain gagne rapidement la campagne ; le bungalow qui devient le fleuron des villes de la banlieue recrute des adeptes en milieu rural, auxquels un dernier-né, le cottage anglais en brique, s'ajoute.

La maison-bloc est la dernière manifestation évidente du rôle de parapluie joué par la maison de ferme au cours des derniers siècles. La maison de ferme profitant de l'électricité, de la technologie de conservation des aliments, pour ne citer que ces deux facteurs, devient la maison. Du même coup, elle emprunte ses habits à l'architecture urbaine, avec laquelle elle partage de plus en plus d'affinités fonctionnelles.

Chemin Royal, Saint-Pierre, à l'île d'Orléans.

Guy Fluet

directeur de caisse populaire

Casser son cochon au bon moment

« Ce qui n'est pas utile à la ruche ne l'est pas à l'abeille ». Cette réflexion de Marc Aurèle conclut le soixantième rapport annuel de la caisse populaire Desjardins de Saint-Victor-de-Beauce. Le producteur agricole Guy Fluet en est le directeur général. De sa ferme, le village de Saint-Victor dévoile toute son intimité : son église, ses maisons, ses industries et ses paysages agricoles ; quelque part entre les toits entassés du village, la caisse populaire. Guy Fluet y est entré en 1960 et il n'en est jamais ressorti. Il fait ses classes avec le fondateur, Valère Paré, laitier, qui dès 1937 ouvrait le comptoir de Saint-Victor. « Quand le sirop d'érable se vendra, là on va avoir de l'argent à passer ». À l'époque, la liquidité des caisses reposait sur l'argent de ses actionnaires et la parole valait un contrat. C'était l'époque des prêts à 500 $ qui hypothéquaient la terre pour des années alors que l'agriculture était tiraillée par le progrès.

Si l'Office du crédit agricole existait depuis 1936, le maillage avec les institutions bancaires ne remonte qu'à 1960 avec la *Loi de l'amélioration des fermes*. Il s'agissait de faciliter aux fermiers du Québec, comme on les appelait alors, l'obtention de prêts à des taux avantageux de la part des banques à charte et des caisses populaires. Les réalités agricoles actuelles sont différentes mais Guy Fluet aligne toujours la même fierté : celle de travailler avec les gens de la terre, ces banquiers de l'or vert.

Marc Aurèle, le philosophe romain, écrivait dans ses *Pensées pour moi-même* : « Moissonner la vie comme un épi chargé de grains ».

La grange-étable, lieu de travail, de rencontre et de détente.
Chemin Royal, Saint-Pierre, à l'île d'Orléans.

La grange-étable

La grange-étable est certes le bâtiment le plus étendu de l'îlot de ferme traditionnel. C'est au XIXᵉ siècle que la construction de la grange et de l'étable sous un même toit devient coutume. Auparavant, scindées en bâtiments distincts, l'étable et la grange faisaient bouquet à proximité de la maison. Cette façon de faire, propre aux XVIIᵉ et XVIIIᵉ siècles, rejaillit parfois ici et là : dans la région de Drummondville et de Bagot, quelques spécimens étalent une variante de cette tradition alors qu'un passage couvert

réunit la grange à l'étable. La grange-étable en un seul bâtiment a été une caractéristique de la ferme québécoise durant près de deux siècles. À la remorque de la grange-étable, un vocabulaire précis décrit les usages anciens du bâtiment, dont : le fenil ou fanil, qui désigne la partie de l'étage où l'on entrepose les fourrages ; la tasserie, où le blé et la paille sont disposés en tas, et la batterie, qui fait référence au battage des céréales au fléau.

Chemin du Golf, Louiseville.

La grange-étable

Rang des Mines, Saint-Augustin-de-Desmaures.

Rang des Mines, Saint-Augustin-de-Desmaures.

L'agriculture va s'accommoder de l'organisation fonctionnelle de l'espace intérieur de la grange-étable. Un portrait-robot donne la recette de sa longévité. Rectangulaire et bien allongée dans le paysage de la ferme, elle a trouvé son identité dans son rapport aux saisons et aux bêtes. Avec un alignement de fenêtres qui se répètent sur la façade sud, conçue pour récupérer la lumière et la chaleur du soleil durant la stabulation d'hiver, la section étable, réservée aux animaux, se distingue à vue d'œil ; on l'érige avec plus de précautions : les murs sont en pièce sur pièce ou à doubles parois isolées de bran de scie ; les portes et les fenêtres sont doubles ; l'évacuation de l'air chaud pompé par les vaches et les autres bêtes trouve son compte dans des cheminées de ventilation ; ces dernières percent le faîte, masqué souvent de lanterneaux. Durant la saison estivale, la traite du matin et celle du soir ramènent invariablement le troupeau à l'étable. Ce tic-tac régulier s'interrompt avec les premières gelées. La grange trouve alors sa pleine vocation.

On entrepose dans la grange-étable les fourrages, qui servent à la fois de nourriture et d'isolant. Leur conservation va compléter la physionomie définitive du bâtiment : pour y accéder, de larges et hautes portes qui se répondent sur les façades opposées et engouffrent les voitures chargées de foin. Si elles sont absentes du rez-de-chaussée, le garnaud, ce pont de bois qui prolonge la montée, permet aux voitures à foin d'accéder à l'étage. Au tournant des années 50, l'introduction de la presse à foin et du monte-balle sera à l'origine de la disparition progressive du garnaud.

La ferme, petit hameau chuchotant, chemin Royal à Sainte-Famille de l'île d'Orléans.

La grange-étable tirera du milieu le bois nécessaire pour ses revêtements : le plus usuel en planche ou en bardeau qui court sur les murs et le toit, la bille en pièce sur pièce aux assemblages variés (queue-d'aronde, à mi-bois, à enclave et biseau) ou encore en rondin cordé jointoyé de ciment. De cette diversité naîtront plusieurs régionalismes architecturaux : la grange à encorbellement de Charlevoix dont le mur en saillie préserve des amoncellements de neige devant les portes de la bâtisse ; la « barraque » des Îles-de-la-Madeleine, d'inspiration hollandaise, remontant au second quart du XIXe siècle ; les granges du Richelieu et du lac Saint-Pierre avec leurs toitures d'herbe à liens, devenues introuvables ; enfin, les granges rondes, bien associées aux Cantons-de-l'Estrie.

Localisées en bonne partie le long de la frontière américaine, les granges rondes sont aussi des joyaux de notre patrimoine agricole. Associées aux comtés qui autrefois étaient à forte concentration anglophone comme ceux de Stanstead, Compton, Brome, Missisquoi et Huntingdon, elles auront leur pendant chez les francophones. Ce sont les granges octogonales

La baraque à l'Île-du-Havre-Aubert (Millerand).

Dans le cadre de cette dernière, on veut orienter l'agriculture vers la rentabilité. Pour atteindre cet objectif, on préconise, en plus de la rotation des cultures et de l'amélioration génétique des troupeaux, une façon inédite de rentabiliser l'espace en logeant les animaux, les fourrages et les instruments aratoires sous un même toit. La grange ronde se veut un modèle de rentabilité économique : nourrir plus d'animaux l'hiver en engrangeant plus de fourrage, économiser le bois de construction en réduisant la surface des murs extérieurs, augmenter l'éclairage de l'étable, donner au bétail plus d'aisance sur moins de surface, empêcher les céréales de geler dans le silo, localisé au centre du bâtiment, distribuer la nourriture avec une économie de gestes.

disséminées en petit nombre dans les comtés de Lotbinière, Lévis, Montmagny, L'Islet, Rimouski, Bellechasse, Dorchester et Wolfe. Au début des années 90, on a dénombré en Estrie 9 granges rondes au diamètre variable oscillant entre 20 et 27 mètres (67 à 90 pieds) ; ce sont celles de Barnston (1909), Barnston-Ouest (1907), une seconde à Barnston-Ouest (1901), celle de Compton-Station (1910), celle de Stanstead-Est (1908), une seconde à Stanstead-Est (1908), celle à Ogden (1904), celle à Austin (1907), classée monument historique par le ministère de la Culture et des Communications en 1984, et une dernière à Mansonville (1910).

Bref, c'est principalement entre 1880 et 1920 que seront construites les granges rondes du Québec, résultat d'une « mode » qui eut cours aux États-Unis au XIXe siècle mais aussi conséquence de la révolution agraire anglaise.

La grange octogonale, route 132, à Saint-Antoine-de-Tilly.

À cette situation se greffe aussi une réalité folklorique et religieuse voulant que les constructions rondes éloignent le diable, qui aurait la mauvaise habitude de se cacher dans les coins ! Les granges rondes des Cantons-de-l'Estrie, au même titre que les granges octogonales, propagent un témoignage concret du souci d'efficacité de l'agriculture de l'époque mais aussi un bel exemple de l'influence de l'architecture américaine en sol québécois.

Hormis la maison, c'est, de tous les bâtiments de la ferme, la grange-étable qui recevra des attentions ornementales : des motifs variés sont peints sur les portes (trèfle, losange, animaux, etc.), des lanterneaux coiffent les conduits de ventilation, du bardeau décoratif (écaille de poisson, pointe de flèche, etc.) tapisse les façades ou encore des arcades enjolivent les portes. Ce souci esthétique se répercutera aussi dans l'agencement des couleurs. « Dans leur architecture s'exprime le bâtisseur, dans le choix des matériaux s'exprime le pays, dans la localisation s'exprime le climat, dans l'apparence s'exprime la fierté. À tous ces titres, la grange-étable personnifie le monde rural », résume bien Christine Larose dans *La Terre de Chez Nous* du 6 août 1998.

Au début des années 60, la grange-étable traditionnelle ne répond plus aux attentes de l'agriculture. La spécialisation des élevages, l'évolution des techniques de coupe de foin, l'introduction massive des céréales dans l'alimentation animale, les nouvelles normes d'hygiène qui disqualifient la cohabitation de plusieurs espèces animales sous un même toit comptent parmi les facteurs indéniables qui vont présider à son recylage lorsque ce n'est pas carrément à sa disparition. Bien conservée, elle n'en constitue pas moins l'un des plus beaux monuments de l'agriculture québécoise.

Une grange-étable traditionnelle sur la route 170 à Saint-Bruno au Lac-Saint-Jean.

Pour garder le lait bien au frais, la laiterie. Route 148 à Mirabel.

*L*a laiterie

Surge : de la chaudière à la trayeuse.

La conservation du lait a toujours été une préoccupation. Des premiers peuplements agricoles en Nouvelle-France jusqu'à nos jours, la laiterie, cantonnée d'abord dans la maison, s'affranchira pour devenir, pendant plus de deux siècles, un bâtiment distinct. Puis, accolée à la grange-étable dès la fin des années 50, elle se fondra dans la vacherie au début des années 80.

Jusqu'à la fin du XVIIe siècle, le lait est conservé dans un espace frais de la maison avec d'autres denrées. Mais dès 1678, et peut-être même avant, la laiterie s'ajoute aux bâtiments de la ferme traditionnelle et elle en sera un trait distinctif, devenu tradition 250 ans plus tard.

La laiterie greffée à la grange-étable. Route 132 à Saint-Vallier.

Localisée très près de la maison, parfois même elle s'y greffe en appentis. Elle est de faible dimension, environ 1 mètre carré (10 pieds carrés). Les murs sont construits en pierre ou en pièce sur pièce et sont surmontés d'un toit à deux versants ou à pavillon. Pour garder le bâtiment le plus frais possible, la porte est orientée vers le nord, un arbre le tient à l'ombre sinon une vigne sauvage l'enveloppe. Elle est aussi blanchie à la chaux à l'intérieur et à l'extérieur. La laiterie, qui sert non seulement à conserver le lait mais aussi à l'entreposer et à fabriquer des produits dérivés, exige la proximité d'une source d'eau ; aussi la construisait-on près de la source ou du puits et parfois même directement sur l'un ou sur l'autre.

À l'intérieur de la laiterie, le beurre est conservé dans des tinettes de 9, 13 et 18 kilogrammes (20, 30 ou 40 livres) ; le lait repose dans des terrines de terre cuite que la faïence d'Angleterre remplacera pour être évincée à son tour par les contenants de fer-blanc signalés dès 1830 ; la crème, elle, fermente dans des jarres recouvertes d'un linge de toile de lin. Ce procédé de conservation du lait et de ses dérivés aura cours jusqu'à la fin du XIXe siècle et même au-delà dans certaines régions.

Chemin de la Rivière, Cap-Saint-Ignace.

L'arrivée des beurreries-fromageries dans les paroisses (les premières voient le jour dans les années 1860) va modifier quelque peu la vocation de la laiterie. Le paysan devant transporter son lait lui-même à l'établissement le plus près et compte tenu de l'état lacunaire des routes, le bidon de lait, plus robuste et logeant un plus grand volume, détrône les contenants de fer-blanc. Concurremment, le mode de conservation du lait est modifié.

Désormais, la laiterie de ferme, plus spacieuse, renferme un bassin de refroidissement ; rempli d'eau froide, il est érigé en bois, en pierre ou en béton et ultérieurement en acier inoxydable. À l'intérieur, on place les contenants de lait qui se standardisent : les bidons. Ces bidons contiennent 36 litres de lait (8 gallons) chacun et on en dépose entre 2 et 6 dans le bassin de refroidissement, selon l'importance du troupeau laitier. Chaque matin, les bidons sont placés sur une estrade le long de la route et ramassés par la voiture à lait.

Trois systèmes de refroidissement seront utilisés : l'eau de source qui alimente le bassin de refroidissement par gravité ; la glace qui provient de la glacière de la ferme ; dans ce cas-ci, la glacière est souvent attenante à la laiterie ou intégrée à celle-ci ; le cultivateur dépense alors 54 kilogrammes (120 livres) de glace par jour pendant 4 mois, ce qui représente au total plus de 6 000 kilogrammes (7 tonnes) de glace. Il extrait cette glace d'un cours d'eau sis à proximité de chez lui ou se la procure auprès du vendeur de glace. Enfin, le troisième procédé, la réfrigération mécanique, se répand avec l'électrification des campagnes au tournant des années 40, selon les régions.

Avenue des Ormes, Sainte-Gertrude.

La laiterie traditionnelle s'efface graduellement à compter de la fin des années 50. De nouvelles découvertes technologiques amènent l'introduction, dès 1955, des premiers bassins refroidisseurs dans la région de Sherbrooke. Le lait est versé directement dans un réservoir réfrigérant et gardé à température constante. Le ministère de l'Agriculture offre même une aide financière aux producteurs désireux de se procurer un réservoir réfrigérant. Dès lors, la laiterie, bâtiment distinct de l'établissement de ferme, fait un premier pas vers la grange-étable. Elle devient une annexe qui s'intègre au corps de l'étable, souvent postée en avant-plan de la façade principale. Les traces de cette migration sont encore visibles sur de nombreuses fermes du Québec.

Avec la disparition complète des bidons en 1977, la laiterie traditionnelle n'a plus sa raison d'être ; elle est démolie ou asservie à d'autres usages. Fort heureusement, certains agriculteurs se font encore une fierté de conserver ce vieux bâtiment.

Quant à la laiterie, appuyée à la grange-étable, elle est définitivement engouffrée ; la vacherie moderne (les premiers prototypes sont signalés dès la fin des années 60 mais ce n'est que 10 ans plus tard qu'elle se popularise) abrite sous un même toit les vaches en stabulation libre, la salle de traite et la laiterie. Cette dernière renferme le réservoir à lait et un système de lavage sophistiqué qui répond aux besoins de l'élevage spécialisé. Chaque jour, le lait est pompé directement dans la citerne du camion de lait, à l'abri de toute contamination, et acheminé à l'usine.

La laiterie de pierre pour conserver le lait, à Saint-François-de-la-Rivière-du-Sud près de Montmagny.

La laiterie bien ombrée, chemin des Érables à Neuville.

camionneur de lait

Gérald Pelletier

Du pis à l'usine, toute une montée de lait !

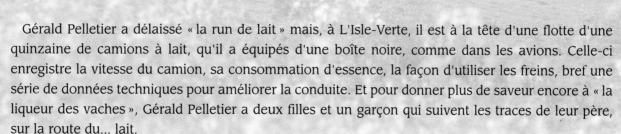

Gérald Pelletier connaît bien son monde. Il a sillonné tous les rangs où il pouvait trouver une goutte de lait entre Rivière-du-Loup et Gaspé. Il se souvient de cette époque où les bidons étaient ramassés sur le bord de la route, une fois par deux ou trois jours, une coutume apparue dans les années 1870-1880 alors que les beurreries et les fromageries surgissaient. Auparavant, le lait était transformé à la ferme. Le Québec agricole de 1911 approvisionnait 2 142 beurreries et fromageries. En 1955, avec l'introduction des premiers bassins refroidisseurs à la ferme (réservoirs à lait), le transport du lait devient un métier spécialisé.

Chaque camionneur est initié aux manipulations du lait à l'Institut de technologie agricole de Saint-Hyacinthe. D'une ferme à l'autre, un échantillon de lait prélevé par le camionneur pour fins d'analyse ; aussi le souci de conserver le lait à 3 ou 4 °C entre 8 h 30 et 14 h, le temps nécessaire pour ramasser les 32 000 à 36 000 litres emmagasinés dans la citerne ; un scénario repris 7 jours par semaine par les 309 camions qui transportent du lait en vrac au Québec. Le camion à lait, c'est l'image du lait que l'on promène sur la route comme un panneau publicitaire.

Gérald Pelletier a délaissé « la run de lait » mais, à L'Isle-Verte, il est à la tête d'une flotte d'une quinzaine de camions à lait, qu'il a équipés d'une boîte noire, comme dans les avions. Celle-ci enregistre la vitesse du camion, sa consommation d'essence, la façon d'utiliser les freins, bref une série de données techniques pour améliorer la conduite. Et pour donner plus de saveur encore à « la liqueur des vaches », Gérald Pelletier a deux filles et un garçon qui suivent les traces de leur père, sur la route du... lait.

Le silo, symbole de fierté et de réussite. Route Principale à Sainte-Hénédine en Beauce.

 # *L*e silo

Gros champignons accolés à la vacherie ou à la grange-étable, les silos de ferme, symbole de fierté et de réussite, ont remodelé le paysage rural. Le nombre de silos qui s'agglutinent près de la vacherie, de la porcherie ou du poulailler fait foi de la croyance que l'on a en l'agriculture industrielle. Ce n'est pas sans contentement qu'on accole à la paroi le nom des propriétaires et parfois même un drapeau pour annoncer leurs convictions politiques. Les silos s'alignent dans les rangs comme une succession de gratte-ciel. Ils ont remplacé le fenil de la vieille grange. Ils entreposent dans des conditions optimales la nourriture du troupeau durant les mois où la terre se repose. Il n'en a pas toujours été ainsi et, contrairement à ce que l'on pourrait croire, le silo n'est pas de facture récente ; les premiers d'entre eux sont apparus au début des années 1880 sur des fermes de Stanstead, Abbotsford et Sainte-Anne-de-Bellevue au Québec. Appelées « silos à maïs », ces structures procuraient en théorie une alimentation riche en protéines et en sucre. En théorie, puisque plusieurs problèmes techniques (étanchéité, suintement des parois, etc.) empêcheront une diffusion rapide de ce mode de conservation. Pour encourager l'ensilage, le gouvernement accorde dès 1892 une prime au cultivateur qui érige le premier silo de sa paroisse. L'ensilage du foin vert, pour sa part, gagne les fermes du Québec vers 1930. La pluie était l'ennemie numéro un du cultivateur au temps de la récolte du foin. Le foin est mûr, il faut le faucher, mais s'il y a menace de mauvais temps il faudra reporter le travail et se contenter d'une récolte de moins bonne qualité puisque le foin commence à faner. Avec l'apparition du silo, voilà que l'herbe humide se prête bien à l'ensilage. Ainsi, on obtient un fourrage vert judicieusement assaisonné qui donnera aux vaches, en janvier, une herbe aussi savoureuse qu'en juin. Les opérations de manipulation des fourrages sont réduites d'autant puisqu'il n'est plus nécessaire de faire sécher sur le champ le foin aussi longuement, de le mettre en balles et

Le silo, l'entrepôt des fourrages. Route 116, à Princeville.

de l'entreposer dans la grange. À cet avantage s'ajoute l'économie des coûts puisque la construction du silo est nettement moins onéreuse que celle d'une autre grange pour entreposer le foin ou les céréales.

Jusqu'à la fin des années 60, l'ensilage du foin vert demeure un procédé incertain ; sa popularité est régulièrement compromise, notamment dans les années 50, alors que bon nombre de cultivateurs abandonnent ce procédé ou se refusent à l'intégrer à leurs activités saisonnières. À ce désenchantement, moult raisons : le foin vert ensilé a un taux d'humidité trop élevé, les espèces fourragères ensilées sont trop variées, les silos ne sont pas étanches,

Rang du Bas-de-l'île à Sainte-Monique.

Le silo

Chemin de la rivière Etchemin-Sud, Sainte-Claire.

Route 138-A, Dewittville.

Chemin Leblanc, Précieux-Sang.

il faut mélanger le foin avec de la mélasse pour assurer sa conservation, etc. Pour ajouter au désarroi, certains producteurs de lait nature sont même suspendus à la suite du dépistage d'une odeur suspecte dans leur lait, provoquée par une mauvaise fermentation du fourrage dans le silo.

Toute une technologie accompagne donc l'évolution du silo et la diversité des matériaux utilisés en fait la preuve : silo en douves de bois, en douves d'argile, en tuiles d'argile, en contre-plaqué, en douves de béton, en blocs de béton, en béton monolithique, en acier galvanisé et en acier vitrifié. Parfois carrés, parfois octogonaux, mais généralement circulaires, les premiers silos de bois ont une hauteur qui excède rarement 5 mètres (15 pieds), s'ajustant ainsi au faîtage de la grange. Greffés à l'un des murs de la grange-étable, ils emmagasinent suffisamment de fourrage pour nourrir un troupeau de 15 vaches. Parfois, les silos de bois seront érigés à l'intérieur de la grange.

Les silos modernes n'ont fait que raffiner la technologie existante ; l'outillage agricole perfectionné a permis d'augmenter les quantités d'ensilage à récolter et a fait déborder le silo de ses dimensions d'origine. Le silo moderne a un diamètre variant de 4 à 8 mètres (14 à 32 pieds) et sa hauteur varie de 10 à 30 mètres (30 à 90 pieds). Il peut contenir jusqu'à 1600 tonnes métriques de foin soit à peu près l'équivalent de 45 000 balles de foin. Fabriqué en acier vitrifié, il est complètement étanche et possède un poumon situé dans sa partie supérieure (toile fine de 2 mètres sur 3 mètres) qui permet l'évacuation contrôlée des gaz provenant de l'ensilage. L'ensilage peut ainsi être conservé pendant 3 ou 4 ans sans altération du contenu. Le coût d'achat des silos de grande capacité se situe aux environs de 125 000 $.

Rang Kildare, Saint-Ambroise-de-Kildare.

Montée du Rocher, Saint-Vallier.

*L*a vacherie

Le mot n'est pas très répandu chez les producteurs laitiers. On va toujours à l'étable « faire le train » ; la vacherie ne colle pas à leur réalité. Il faut dire que le terme est récent. De tout temps, l'étable est associée à la vache même si elle a abrité sous le même toit moutons, porcs, poules, chevaux... Au fil des décennies, la vache monopolisera l'étable et s'imposera comme une production de premier plan. Pour illustrer ce périple, témoins tangibles éparpillés dans nos campagnes, des étables

Une vacherie moderne. Rang 2 à Warwick.

racontent en leurs murs la production laitière ; des dates charnières, approximatives selon les régions, contribuent à s'y retrouver. Quatre types d'étables meublent notre paysage rural.

Le premier type est la grange-étable traditionnelle (c.1800-c.1950). C'est celle qui a vu naître l'industrie laitière ; il s'en trouve encore quelques beaux spécimens qui ont rarement au-delà de 150 ans. Identifiable à ses deux étages, à son habillage de planches de bois et de bardeau, elle a répondu aux premières aspirations de l'industrie laitière, qui se profilait dans les années 1870. Quotidiennement, le cultivateur va y traire à la chaudière cinq ou six vaches, à moins qu'il ne le fasse en plein champ, durant la belle saison. S'il n'écrème pas son lait (les premières écrémeuses se répandent dans les années 1880), le fermier le met en bidon pour le porter lui-même à la beurrerie ou à la fromagerie de la paroisse.

Durant la saison froide, les vaches, taries, ne produisent pas de lait. Le nettoyage de l'étable se fait manuellement avec pelle et brouette. Un premier système de nettoyage mécanique, le bac sur rail, apparu vraisemblablement au tournant des années 20, fixé au plafond de l'étable, allège la tâche.

Le début des années 40 sonne le glas pour l'agriculture de subsistance ; désormais, il faut nourrir plus que sa famille et les gens du village. De nouveaux besoins, nés en bonne partie des populations qui se concentrent dans les villes,

La vacherie à un seul niveau s'étire dans le paysage. Celle-ci est sise à Chénéville, en Outaouais.

destinent le lait à une autre vocation que celle de la transformation en beurre et en fromage ; l'agriculture marchande prend forme. La consommation de yogourt (Jude Delisle l'introduit en 1931), de crème glacée (Montréal a ses premiers bars laitiers au tournant des années 50), de lait pasteurisé et de lait en poudre incite le cultivateur à produire davantage de lait.

De 1940 à 1975, le fermier n'a d'autre choix que d'agrandir le plancher de ses vaches. Notre second type d'étable émerge alors. Pour tirer de meilleurs revenus de sa ferme, qui lui donneront accès au crédit et à la mécanisation, l'agriculteur se plie au changement typique des années 50 : l'espace réservé aux autres bêtes dans la grange-étable est dévolu à la vache ; porcs, poules et moutons sont localisés dans des bâtiments distincts, si ce n'était déjà fait ; les règlements touchant la production de lait nature vont contraindre le cultivateur à garder uniquement des vaches dans l'étable.

Une autre façon de faire, plus répandue dans les années 60, amène la destruction de la grange-étable traditionnelle, vétuste et mal adaptée à la production laitière. Du même coup, le poulailler, la porcherie, la bergerie, etc., témoins d'une agriculture diversifiée et de

Rang Au Pied-de-la-Côte à Maskinongé.

Le pâturage remplacé de plus en plus par la stabulation libre. Rang Saint-Isidore à Hébertville.

subsistance, disparaissent pour laisser place à un bâtiment nettement plus imposant. Ce type d'étable (c.1955-c.1975) s'inspire de l'architecture traditionnelle dans sa forme (souvent toit mansardé ou brisé) et ses matériaux (revêtement de bois pour les murs, planches ou bardeau, et revêtement de tôle pour la toiture).

La nouvelle étable accueille une trentaine de vaches. Elles sont retenues individuellement dans un carcan durant l'hiver ; on les retrouve au pâturage de mai à octobre. Cet accroissement du nombre de vaches place le cultivateur devant l'obligation de récolter des fourrages supplémentaires pour la saison hivernale ; il loue ou achète alors la terre d'un voisin. Dans cet esprit, rappelons que, des 150 000 fermes recensées en 1941, à peine 60 000 seront en exploitation en 1971. La ferme laitière moyenne, qui compte 11 vaches en 1941, verra son troupeau passer à 30 bêtes en 1974.

Pour arriver à s'occuper du troupeau élargi, avec une main-d'œuvre souvent réduite, le fermier bénéficie d'innovations technologiques : le tracteur bien sûr (une ferme sur 25 possède un tracteur en 1941 alors qu'en 1971 il y en a plus d'un par ferme) mais aussi toute une panoplie d'instruments aratoires qui, tout en épargnant du temps, fournissent une meilleure qualité de fourrage, ce qui a une incidence directe sur la quantité de lait produit. La balle pressée se répand au milieu des années 50 ; on engrange plus de foin dans moins d'espace. L'apparition de l'électricité sur les fermes permet l'introduction des premiers bassins refroidisseurs, ce qui supprime le transport et la manipulation des bidons, alors que l'équipement de traite se raffine

Rang Saint-Antoine à Saint-Irénée dans Charlevoix.

avec les trayeuses mécaniques. Hormis une période de gestation, la vache produit désormais du lait en hiver alors que l'insémination artificielle (1948) améliore la qualité des troupeaux et permet au producteur de mieux contrôler les vêlages de ses bêtes. L'écurage de l'étable se fait de façon quasi automatique grâce à un système de convoyeur installé dans les dalots, derrière les vaches, qui expulse à l'extérieur paille et fumier, ce qui réduit considérablement la corvée du producteur.

Le troisième type (c.1970-c.1998) introduit la vacherie moderne dans le paysage de la ferme : l'étable n'a plus qu'un seul niveau (la partie grange pour entreposer le fourrage est supprimée). De forme rectangulaire, privilégiant la tôle comme matériau de recouvrement, notamment sur son toit à deux versants, la vacherie peut abriter facilement une quarantaine de bêtes. Dans ce bâtiment appelé « étable à logettes », chaque vache a un compartiment assigné et est retenue en place par une chaîne qui lui laisse plus de liberté que le carcan traditionnel. Cette nouvelle architecture de l'étable repose encore

ici sur des innovations technologiques marquantes : un nouveau système de fenaison (introduit au Québec en 1974), soit celui des grosses balles rondes (environ 700 kilos ou 1600 livres), permet d'emmagasiner la récolte dans des sacs imperméables, à l'extérieur des bâtiments ; l'érection de la partie grange étant superflue, on évite ainsi des déboursés importants. Par ailleurs, des techniques d'ensilage plus sûres ouvrent la voie à une production accrue de céréales ; les champs se partagent désormais entre les fourrages et les céréales.

Des silos se dressent donc près de la vacherie. La construction de fosses en béton armé vient freiner la contamination des sols par le fumier.

*Médaillée d'or du Mérite agricole,
la ferme Bellechasse inc. à Honfleur.*

Jusqu'au milieu des années 80, les étables sont chaudes ; les lois sur la salubrité du lait exigeant le nettoyage quotidien du bâtiment, le producteur préfère travailler à la chaleur l'automne venu. Un système de ventilation performant assure les échanges d'air et le contrôle de l'humidité. La vacherie des années 80, c'est notre quatrième type, remet en question cette façon de faire et préconise la ventilation naturelle et la stabulation libre. Grâce à un système de panneaux amovibles fixés sur les murs extérieurs, le producteur contrôle mécaniquement (absence de ventilation électrique) les entrées et les sorties d'air, d'où une réduction des coûts d'exploitation et un mieux-être de l'animal.

Les vaches ne vont plus au pâturage mais demeurent en stabulation libre ; la vache n'étant pas attachée en permanence, notamment durant la saison hivernale, on lui évite des problèmes aux articulations. Une autre innovation est la salle de traite : désormais, l'agriculteur ne promène plus sa trayeuse d'une vache à l'autre ; les vaches se rendent par lot à la salle de traite, pièce close à l'intérieur de la vacherie où le producteur peut en traire une douzaine simultanément ; la production de chaque bête est notée quotidiennement à l'ordinateur, ce qui concourt à brosser un portrait de son rendement.

Depuis le début des années 90, la vacherie de type serre a fait son apparition. Ce bâtiment, à ventilation naturelle et à stabulation libre, se caractérise par une structure en acier tubulaire recouverte de polyéthylène, dont les extrémités sont en fibre de verre ou en bois. À l'origine de ce type de bâtiment, on trouve le souci de minimiser les coûts : la construction d'un bâtiment froid de type serre coûte 524 $ par vache par rapport à 1250 $ dans le cas de la vacherie conventionnelle. La ferme laitière des années 90 a un troupeau moyen de 43 vaches et les 10 000 producteurs laitiers du Québec de 1998 cumulent autant de litres de lait que les 62 000 producteurs de 1966.

Vert de campagne et bleu de ciel, scène de la fauchaison à Saint-Norbert-d'Arthabaska.

étudiante en agroéconomie

Véronique Laliberté

Un avenir tout tracé

Elle le sait depuis toujours : son avenir est dans les champs. À 20 ans, le savoir vert la passionne : plantes, animaux, champs, etc. Fille de producteurs agricoles, elle connaît les exigences de la ferme et les défis qui l'attendent. Et elle s'y prépare depuis longtemps. Lorsqu'on trait les vaches depuis l'âge de 12 ans, que l'on court les expositions agricoles depuis l'âge de 5 ans et qu'au surcroît on adore ce que l'on fait, la partie semble gagnée d'avance. C'était à tout le moins le profil de la réussite pour ceux et les quelques celles, il y a une trentaine d'années, qui « prenaient la ferme de leurs parents ». La relève se formait alors sur le terrain.

Désormais, l'apprentissage en milieu scolaire est un postulat à la réussite. Après un cours en techniques de production animale à La Pocatière, Véronique Laliberté étudie au collège McDonald l'agroéconomie, un cheminement incontournable à ses yeux : clonage, manipulations génétiques, gestion de la machinerie agricole... Chaque génération a ses questionnements. Il y a 30 ans, l'insémination artificielle semait la controverse ! L'étudiante a ses credos : l'entreprise familiale d'abord pour mieux servir l'agriculture et offrir un milieu propice à la relève ; puis cette nécessité de demeurer regroupés car les horizons sont désormais sans fin ; enfin, garder en permanence son oreille curieuse sur le monde pour progresser.

Au milieu de ses vaches et de ses livres, Véronique Laliberté vit totalement sa passion !

La poussinière, qui, le printemps venu, recevait les premiers oisillons. Route 132 à Saint-Nicolas.

 # Le poulailler

La poule a été de toutes les époques dans le développement de l'agriculture. Les archéologues ont même retrouvé de ses os dans l'« Abitation » de Champlain. Dès la fin du XVIIe siècle, l'habitant a le souci de son mieux-être et la présence de loges à poules est confirmée dans les inventaires de biens après

décès. De la poule on tire chair et œufs pour la table familiale et sa popularité sur les fermes traditionnelles ne fait nul doute. Confinées à l'étable ou à la porcherie durant l'hiver, les poules picorent ici et là, l'été venu, à la recherche de leur nourriture, alors que les meilleures couvées éclosent sous les hangars, après une incubation à la dérobée. Le poulailler occupe parfois l'étage d'un bâtiment à vocation mixte : le rez-de-chaussée sert alors à abriter les voitures à chevaux, ou la porcherie et parfois même la glacière. Ce portrait commence à se modifier au tournant de 1910 alors que l'Union expérimentale des agriculteurs du Québec encourage la construction de poulaillers froids pour un cheptel variant de 40 à 50 poules et l'usage de colonies.

Les poulaillers se reconnaissent facilement par leur grande surface vitrée exposée au sud et leur toit en appentis ; ils peuvent loger entre 25 et 1000 poules. À l'intérieur, les poules sont laissées en liberté, errant entre les nids de ponte, les juchoirs, le bain de sable, les trémis pour la nourriture et les tablettes pour les abreuvoirs. Les colonies, appelées aussi poussinières, sont des poulaillers aux proportions réduites puisqu'elles accueillent les poulets de leur naissance jusqu'à l'âge de cinq mois. La poussinière contenait environ une centaine de poulets et un enclos extérieur leur était aménagé. Tôt au printemps, il était courant de chauffer le bâtiment au charbon. Pour cette raison, mais aussi pour empêcher les maladies de se propager, on déplaçait la colonie à l'aide d'un cheval à plus d'une trentaine de mètres du poulailler. Moins répandu que le poulailler en appentis, le poulailler à pignon présentait l'inconvénient d'être, sous les combles, un repère idéal pour la vermine dévoreuse d'œufs. Même si les poulaillers froids seront populaires jusqu'à la fin des années 60 dans certaines régions, leur efficience sera contestée dès le début des années 20.

Le poulailler traditionnel. Rang des Mines à Saint-Augustin-de-Desmaures.

Pour les remplacer, on introduit ce que les spécialistes de l'époque appelaient le poulailler calorifique ou le poulailler chauffé. Mieux nourrie, mieux logée, notamment durant la saison hivernale, la poule procure des bénéfices plus intéressants aux producteurs. Dès 1950, le poulailler chauffé s'est implanté chez les éleveurs qui tendaient à se spécialiser dans cette production. Cette situation entraîna des modifications architecturales importantes : les conduits de ventilation sont plus nombreux, une cheminée de brique perce le faîte et la fenestration en façade est réduite. Les systèmes de chauffage utilisés seront d'abord le bois et le charbon avant la fin des années 40. Par la suite, l'électricité, l'huile et le gaz propane ont la faveur.

Le poulailler est érigé sur un parterre de béton. Il mesure environ 5,4 mètres sur 6 (18 pieds sur 20) et environ 6 mètres sur 10,6 (20 pieds sur 35) pour les bâtiments à deux niveaux ; ces derniers ne semblent dater que du début des années 40. On concède alors entre 0,9 et 1,2 mètre carré (3 et 4 pieds carrés) à chaque poule. Le poulailler calorifique a toujours sa cour extérieure durant la saison estivale.

Puisqu'on ne permet plus à la poule de couver, les œufs pondus sont transportés dans un couvoir où ils sont placés sous incubateur durant 21 à 28 jours selon l'espèce. Les poussins qui en naissent sont dirigés vers les producteurs de volailles, qui fourniront les œufs de consommation et les producteurs de poulet de chair. C'est à Saint-Hyacinthe dès 1914 que l'incubation des œufs démarre au Québec. En 1930, le premier couvoir commercial s'implante, soit celui de M. Gérard Boire de Wickham.

Le poulailler

Chemin Royal, Saint-Pierre.

Rang Notre-Dame,
Saint-Augustin-de-Desmaures.

Rang Notre-Dame,
Saint-Augustin-de-Desmaures.

Rang des Mines,
Saint-Augustin-de-Desmaures.

À la fin des années 50, un ensemble de facteurs concourent pour donner à la production avicole son envol. L'œuf n'est plus la seule denrée que peut fournir la poule ; l'élevage du poulet à griller se popularise et rapidement l'offre ne parvient pas à combler la demande. Des producteurs se spécialisent, soutenus par un mouvement de syndicalisation mais aussi par des découvertes génétiques et des innovations technologiques. Résultat, des couvoirs et des poulaillers donnent un nouveau souffle à l'aviculture et meublent le paysage rural de nouvelles constructions.

Le poulailler moderne. Rang de la Rivière-du-Sud à Saint-Esprit.

De nouveaux paramètres viennent modifier l'architecture du poulailler. Pour rentabiliser son élevage, le producteur doit accroître son volume. Les poulaillers s'agrandissent. En menant des expériences sur le comportement de la poule relié à son exposition à la lumière, on découvre que l'éclairage est un facteur important dans la ponte des œufs : conséquence, les fenêtres s'effacent du poulailler pour laisser place à l'éclairage artificiel ; en limitant les déplacements de la poule, on observe que sa perte d'énergie est moindre et qu'elle peut produire avec moins de nourriture ; aussi la poule est-elle mise en cage dès le début des années 70 et les enclos extérieurs ceinturant les poulaillers disparaissent-ils.

Pour assurer à la bête une nourriture équilibrée, des silos de céréales s'élèvent près des poulaillers ou sont intégrés à l'intérieur de ceux-ci. Les poulets de chair amènent la construction de poulaillers à un seul niveau et de grandes dimensions, où ils sont engraissés dans des parcs intérieurs. Pour accompagner ces changements, une meilleure ventilation, des techniques de nettoyage améliorées, un contrôle constant de l'humidité et un chauffage généralement au propane dont les réservoirs s'alignent en bordure des murs extérieurs, etc.

Le poulailler moderne peut renfermer 15 000 poules pondeuses. En 1998, le Québec comptait 683 producteurs de poulets qui à eux seuls ont produit 142 545 242 poulets. Cette production est concentrée principalement dans les régions de Saint-Hyacinthe (29,3 %) et de Lanaudière (23 %). Les producteurs d'œufs de consommation, au nombre de 128, se concentrent principalement en Beauce alors que les régions de Lanaudière, Nicolet et Saint-Hyacinthe regroupent 52 des 62 producteurs d'œufs d'incubation du Québec.

La « soue à cochons » omniprésente sur la ferme d'autrefois. Rang des Mines à Saint-Augustin-de-Desmaures.

 # *L*a porcherie

Présente dès le XVIIᵉ siècle, la « soue à cochons » fait figure d'exception sur la ferme. Le petit nombre de bêtes, une ou deux, ne justifie pas une telle construction. Le porc a plutôt un parc aménagé dans la grange-étable. De tôt au printemps jusqu'au moment de faire boucherie à l'automne, le porc est élevé en enclos, nourri des restants de table et du petit-lait (lait écrémé) des vaches. C'est au moment où l'industrie laitière s'affirme davantage, dans les années 1870, que le nombre de porcs augmente sur la ferme, le petit-lait devenant plus abondant. La soue à cochons s'insère alors dans l'îlot des bâtiments de ferme et elle s'accommode de formules fort diverses : à Neuville, sur le chemin des Érables, les porcs partageaient un petit bâtiment où logeaient aussi les poules à l'étage ; à Saint-Louis-du-Ha ! Ha !, on retrouve, dans le

À l'étage de la porcherie, on retrouve parfois les grains ou les poules. Chemin des Pelletier à Kamouraska.

La cheminée de brique, trait distinctif de la porcherie. Boulevard Taché Ouest à Montmagny.

Rang 4 à Saint-Arsène près de Rivière-du-Loup.

rang Bellevue, un bâtiment mixte adapté au relief accidenté : au sous-sol la soue, au rez-de-chaussée les voitures à chevaux et à l'étage la grainerie. Dans le rang 2 du Lac-à-la-Croix, la soue a un enclos extérieur, un abri intérieur mais en plus un espace spécialement aménagé pour l'abattage du porc : un bassin pour échauder les carcasses de porc, une truie (petit poêle) avec cheminée pour chauffer l'eau et les commodités nécessaires pour saler le lard ; la truie sert également à chauffer les patates destinées à nourrir les cochons. Dès la fin du XIXᵉ siècle, la soue à cochons est fort populaire dans l'ensemble des régions agricoles du Québec.

Cette popularité ne cessera de croître, imputable en bonne partie à l'augmentation du cheptel laitier. La soue à cochons conserve jusqu'à la fin des années 50 ses caractéristiques : les porcs sont élevés au grand air dans un enclos, la soue qui loge facilement une quinzaine de têtes prend des proportions un peu plus imposantes et les premiers plans suggérés par le ministère de l'Agriculture tendent à la rendre plus fonctionnelle ; une autre caractéristique de ce bâtiment est son implantation ; compte tenu des odeurs dégagées par les cochons et de la malpropreté chronique de l'enclos, le cochon se prélassant dans la boue, la soue est souvent cachée, déportée derrière la grange-étable qui sert d'écran visuel et cherche à couper les odeurs.

Dans les années 60, on met de l'avant le mode d'élevage des porcs en claustration. À chacune des étapes (accouplement, gestation, mise bas, allaitement, sevrage, croissance et engraissement), on définit des besoins particuliers en ce qui concerne le chauffage et la ventilation, l'alimentation, l'abreuvement et l'évacuation des fumiers. La porcherie remplace la soue à cochons. Les éleveurs spécialisés des années 60 élèvent en moyenne 500 porcs comparativement aux quelques dizaines de bêtes des décennies précédentes. La porcherie est divisée en sections fermées qui correspondent aux étapes de croissance circonscrites ; on expérimente les premières méthodes de conservation du fumier dans des fosses à purin.

La porcherie s'éloigne du noyau de ferme traditionnel. Des normes environnementales repoussent les porcheries à 137 mètres (450 pieds) du chemin et à 15 mètres (50 pieds) d'un cours d'eau. Les fosses à purin, apparues au début des années 70, à l'origine construites en blocs de béton, sont coulées en béton armé afin d'assurer une étanchéité à toute épreuve.

Alors que la première génération de porcheries donnera naissance à des bâtiments de 9 à 12 mètres (30 à 40 pieds) de façade sur quelques centaines de mètres (90 à 150 mètres) de profondeur (300 à 500 pieds), les porcheries des années 90 s'élargissent (18 à 21 mètres de façade, soit 60 à 70 pieds). Cette nouvelle configuration qui introduit un bâtiment moins profond facilite les déplacements du producteur. Le chauffage est aussi une nouveauté des années 70. Chauffée à l'huile, au propane,

Rue Royal Nord à Louiseville.

Une soue à cochons construite en rondins cordés sur la route de la Seigneurie à Saint-Fabien près de Rimouski.

Une porcherie moderne du rang Bas-Saint-Jacques à Saint-Elzéar.

La porcherie éloignée du noyau de ferme. Rang 13 à Sainte-Séraphine, dans les Bois-Francs.

à l'électricité et récemment par géothermie (chaleur du sol), la porcherie devient un lieu sain pour les bêtes : humidité et température contrôlées favorisent la croissance et des rendements supérieurs. La ventilation est assurée par des procédés mécaniques.

Depuis 1992, un nouveau procédé de ventilation a fait son apparition, celui de l'extraction basse. Le renouvellement de l'air se fait par le plancher, ce qui empêche la bête d'aspirer les vapeurs d'ammoniac, inconvénient relié à la ventilation conventionnelle. Les porcheries à ventilation naturelle ont fait leur apparition au milieu des années 80. La porcherie se pare de plusieurs silos extérieurs qui contiennent les moulées calibrées selon l'âge du porc. Les expériences menées par plusieurs éleveurs les amènent à se spécialiser encore davantage ; les porcheries sont construites et aménagées pour répondre à une étape précise du développement des porcs ; suivant leur cycle, ceux-ci sont transportés chez d'autres éleveurs qui les prennent en charge ; on retrouve donc les naisseurs, les finisseurs, les maternités, les porcheries d'engraissement, les porcheries de finition. Rien toutefois ne les distingue véritablement dans leur apparence extérieure.

*L*a bergerie

Le Québec comptait plus d'un million de moutons en 1871. Parce qu'il est bien protégé contre les intempéries avec sa toison de laine, c'est le seul animal de la ferme que l'on garde à l'extérieur en toutes saisons. Tout au plus, un abri rudimentaire le protège des vents dominants d'hiver ou des rayons du soleil d'été, s'il n'y a pas d'arbres dans les pâturages. La bergerie est réduite à sa plus simple expression : trois murs de planches, un toit en appentis et une ouverture permanente vers le pacage. Tel est le portrait de la « loge à moutons » commune, répandue dès 1750. Le troupeau ne s'élève alors qu'à sept ou huit têtes. La bergerie se fond dans la grange-étable : les moutons sont souvent logés dans la tasserie, ce qui facilite leur accès à l'extérieur. Entre 1871, alors que le cheptel ovin atteint des sommets inégalés, jusqu'à l'aube de

La bergerie permet l'accès extérieur aux bêtes en toutes saisons. Chemin Calumet à Clarendon, en Outaouais.

l'an 2000, où la production tend à se stabiliser autour de 100 000 têtes, les moutons ont pour le moins perdu du poil de la bête.

Victime de nouvelles technologies, notamment avec l'avènement des tissus synthétiques, de la concurrence de pays étrangers comme l'Australie et la Nouvelle-Zélande, de la popularité d'élevages plus lucratifs, comme ceux de la vache laitière, du porc ou du poulet, et enfin d'une agriculture marchande en complète mutation à la fin des années 50, cet élevage ne trouve plus sa place sur l'îlot de ferme. Les bergeries sont démolies ou, dans les années 50, le tracteur de ferme ou la machinerie complémentaire y sont mis à l'abri.

Houlette à la main, le berger observe ses bêtes.

Scène pastorale dans le rang Saint-Isidore à Hébertville.

troupeau a libre accès à l'extérieur, la laine des moutons ne s'en trouvant que plus abondante et plus fine le printemps venu, au dire des éleveurs de l'époque.

Au début des années 70, on recense un peu plus de 80 000 moutons dans tout le Québec. La dégringolade de cet élevage entamée il y a un siècle ne semble pas vouloir s'arrêter. À la même époque s'amorce un mouvement de retour à la terre. Nombreux sont ceux et celles qui veulent chausser les bottes de leurs ancêtres et vivre d'agriculture. L'élevage ovin, financièrement accessible, s'inscrit alors comme un élevage en voie de renouvellement grâce à la ténacité de bon nombre d'entre eux.

Quelques inconditionnels vont persister dans l'élevage du mouton et le ministère de l'Agriculture répandra vers 1940 des plans de bergerie conçus pour loger de petits troupeaux (entre 10 et 25 bêtes). La bergerie d'alors se reconnaît assez facilement : elle a l'allure d'une petite grange, deux portes larges habillent l'une de ses façades au rez-de-chaussée, la fenestration est bien présente du côté sud alors que des murs aveugles ferment la porte aux vents dominants d'est et du nord. Construite en planches de bois verticales et coiffée d'un toit à deux versants recouvert de bardeau de bois ou de tôle, l'étage est réservé à l'entreposage des fourrages ; à l'intérieur, les râteliers, sorte de crèche en V, où le mouton se nourrit de foin. Nombreux seront les cultivateurs qui laisseront paître leurs moutons à l'extérieur jusqu'aux premières neiges ; durant la saison hivernale, le

La bergerie, si le nombre de moutons le justifiait, était un bâtiment distinct.

M. Bertrand Simard de Baie-Saint-Paul, passionné de l'élevage ovin.

Plusieurs fermes traditionnelles vouées à l'abandon ou des terres valonneuses qui n'intéressent plus les producteurs bien établis sont alors récupérées. La ferme ovine va retrouver une nouvelle physionomie : la grange-étable est vidée de ses carcans de vaches, de son écureur et de son équipement de traite ; de son apparence extérieure, elle conserve à peu près tous les signes distinctifs et il faut souvent voir les moutons au pâturage pour confirmer l'existence de la bergerie recyclée.

Une décennie plus tard, l'élevage ovin devient une spécialisation agricole. Les éleveurs de moutons se donnent une Fédération pour les représenter dès 1981, un pas important dans la structuration de leur mise en marché par le biais d'un plan conjoint réalisé dès 1982. La bergerie est soumise à des mutations : il n'est pas rare de recenser des troupeaux de plusieurs centaines de têtes. De nouvelles bergeries apparaissent. Aux dimensions élargies et à un seul niveau (on utilise les grosses balles rondes enrubannées), la bergerie moderne s'inspire des technologies des autres élevages ; la bergerie-serre de même que la bergerie à ventilation naturelle font partie du nouveau paysage agricole de l'entreprise ovine.

prêtre

Jean-Noël Montour

Son troupeau, les agneaux... de Dieu !

Dommage que Jean-Noël Montour n'ait pas écrit son *Journal d'un curé de campagne*. À 77 ans, il a le souvenir bien vivant et livre une image inattendue du prêtre. Dans les yeux doux de ce Maurice Richard de l'agriculture, le bonheur d'avoir su adapter son discours à la vie des ouailles. Il a entre les mains un passe-partout qui lui ouvre toutes les portes car il abandonne son presbytère et va aider les cultivateurs : faire les foins, traire les vaches, discuter de l'alimentation des animaux, etc. Il entend encore ces voix féminines qui s'échappaient des maisons de ferme : « Allez-vous rester à dîner, monsieur le curé ? J'ai fait du bon bouilli. » « Au lieu de m'intéresser juste à la beauté des bêtes, je me suis intéressé à la santé et à la production de celles-ci. Tu vas voir sous le ventre puis là tu sais si c'est un pis bien attaché, un pis d'avenir ! » Ce métier, il l'a appris d'un père qui valorisait les expositions agricoles, une expérience acquise dans les clubs de jeunes éleveurs qui présentaient à la paroisse leurs plus belles bêtes : « La compétition à 9-10 ans, ça enracine les enfants. »

Et l'âme dans tout cela ? Difficile de ne pas en parler lorsqu'on est prêtre depuis 51 ans : « Les cultivateurs, leur devoir c'est d'améliorer la motte de terre qui est sous leurs pieds. Cette terre nous l'avons empruntée de nos enfants. Ils doivent recevoir la terre comme un don et la remettre meilleure qu'ils ne l'ont reçue de leurs parents. C'est ça, leur religion, leur vocation. La mienne, c'est de les aider à le comprendre. Il faut remarquer au moins une fois dans sa vie la profondeur d'une racine de luzerne qui va chercher son humidité pour vivre. »

Les expositions agricoles de Trois-Rivières et de Saint-Barnabé attribuent depuis une quinzaine d'années le trophée Curé Montour, décerné à l'éleveur le plus méritant. Ce n'est ni la première étoile ni la deuxième étoile ni la troisième étoile comme au hockey. C'est l'étoile du berger !

La « petite grange » égarée en plein champ. Rang Saint-Denis à Sainte-Foy.

La « petite grange » ou remise

Exilée du noyau des bâtiments de ferme, perdue en plein champ, souvent enjolivée d'un bosquet d'arbres, la « petite grange » semble avoir décroché de l'agriculture contemporaine. Oubliée, négligée, plutôt carrée, avec une arête de 6 à 10 mètres (20 à 30 pieds), lambrissée de planches, chapeautée d'un toit à deux versants protégé de bardeaux de bois que la tôle évincera, la « petite grange » est une construction d'une

Rang 4 Est, Saint-Augustin-de-Desmaures.

La « petite grange » ou remise

Rang Bord-de-l'Eau, Beauceville.

Chemin du Lac, Saint-Augustin-de-Desmaures.

Rang Bas-Saint-François, Sainte-Marguerite.

Rang Saint-Joseph, Saint-Alban.

Rang de la Chapelle, Sainte-Christine-d'Auvergne.

grande simplicité. Sans fenêtres, exceptionnellement chaulée ou peinturée, son enveloppe de bois a accumulé la grisaille du temps ; seules deux grandes portes à battant, qui gênent presque l'avant-toit, s'ouvrent vers la lumière. Ses fondations de pierre surprennent ; c'est que l'épierrement des champs au printemps lui a donné des assises solides. Les pierres, indigestes à la culture, amassées une à une pour faire des clôtures, trouvent un usage complémentaire. Plusieurs de ces « petites granges » ont plus d'une centaine d'années.

L'outillage du fermier est relativement limité jusqu'au milieu du XIXe siècle ; il transporte son foin avec des bœufs ou des chevaux. La distance qui sépare la récolte du bout de la terre de la grange-étable est trop longue à parcourir. Aussitôt fauché, le foin doit être engrangé. La « petite grange » répond à ce besoin. L'automne venu ou parfois même au printemps alors qu'il peut mieux disposer de son temps, le fermier transportera son foin de la « petite grange » vers la grange-étable.

La vocation de la « petite grange » va se transformer avec l'évolution de l'outillage agricole. Si l'habitant fait preuve d'une certaine ingéniosité dans la fabrication de son outillage, c'est généralement le forgeron ou le charron de la paroisse qui va les lui bricoler. Parmi ces artisans, certains vont se spécialiser dans la fabrication d'outillage agricole : Henri Bernier de Lotbinière, Matthew Moodey de Terrebonne ou Alfred Desjardins de Saint-André-de-Kamouraska sont de ceux-là. Du côté américain, le mouvement est enclenché et bientôt la moissonneuse à traction animale de Cyrus McCormick brevetée en 1834 ou la charrue de John Deere (1837) qui économise le travail d'un cheval sur trois vont franchir nos

Souvent sans fenêtres, la « petite grange » ne laisse passer la lumière qu'entre ses planches ajourées.

frontières. Même si la mécanisation de l'agriculture au Québec s'amorce dans les années 1840, ce n'est véritablement qu'à compter des années 1870 qu'elle gagne du terrain. Avec l'arrivée des premiers tracteurs, dont la popularité véritable ne se fait sentir qu'au tournant des années 50, et des instruments aratoires plus performants, le temps de la récolte du foin est abrégé. Le transport se fait directement à la grange-étable.

L'achat de cet outillage est onéreux pour le fermier et son utilisation saisonnière. Aussi va-t-il prendre toutes les précautions nécessaires pour bien le conserver. Pour s'assurer de protéger sa trépigneuse ou sa faucheuse mécanique ou encore sa charrue de l'incendie

La « petite grange » devenue remise.

qu'il craint par-dessus tout, car il n'a pratiquement aucun moyen de le combattre, il transforme la « petite grange » en remise. En son absence, il érige une remise en plein champ, distante de plusieurs arpents des autres bâtiments agricoles. Mais ce choix répond aussi à un autre impératif ; les instruments aratoires dont l'agriculteur a besoin sont sur les lieux mêmes du travail, en plein champ (faucheuse, chargeur à foin, etc.) Toujours fonctionnelle de

nos jours sur certaines fermes, la remise traditionnelle a cédé le pas à une remise plus spacieuse qui a retrouvé le giron des bâtiments de ferme. À la fin des années 50, elle s'est donné l'allure d'une construction semi-circulaire en acier ; depuis le début des années 80, toutefois, même si la remise en tôle est toujours fort populaire, plusieurs agriculteurs ont tendance à revenir à des formes plus harmonieuses où le bois amorce une nouvelle percée.

Une architecture dépouillée qui donne de la perspective au paysage. Route 138 à Saint-Augustin-de-Desmaures.

La cabane à sucre chevauche parfois les autres bâtiments de ferme.
Rang Saint-Paul à Saint-Léonard-de-Portneuf.

 # La cabane à sucre

Bien ancré dans les mœurs des ruraux et des citadins, « le temps des sucres » est l'objet d'une fête gourmande annuelle. Et pour tenir ces festivités, la cabane à sucre est le lieu tout désigné, bâtiment agricole conçu pour le travail mais aussi pour le plaisir et la convivialité. Lorsqu'ils arrivent au Québec, les premiers colons découvrent rapidement les vertus de l'eau d'érable au contact des Amérindiens ; dès le début du XVIIIe siècle, la cueillette de la sève printanière semble une coutume établie.

L'érablière jouxte alors l'îlot de ferme, la mise en culture de la terre n'étant qu'à sa phase préliminaire. On fait bouillir l'eau d'érable dans l'âtre de la maison ou à l'extérieur dans un abri rudimentaire en planches ou en écorces. Cet abri temporaire qui renaît chaque printemps s'apparente parfois à la tente amérindienne. Autrement, la cabane reste modeste : un assemblage de planches qui compose les trois murs avec un toit en appentis.

À mesure que le cheptel croît, les besoins en terre faite repoussent l'érablière ; celle-ci s'éloigne donc du noyau de ferme. La saison venue, le sucrier a besoin d'un pied-à-terre pour faire bouillir jour et nuit l'eau d'érable. Dès le début du XIXe siècle, les premières cabanes à sucre permanentes apparaissent dans les régions les plus anciennes de colonisation ; à celles-ci se greffent, ultérieurement, des bâtiments satellites : l'abri pour les chevaux, le hangar à bois et la latrine.

Montée de la Montagne à Saint-Anselme.

La cabane à sucre, désormais fréquentée durant les quatre saisons.

La cabane à sucre s'implante en dehors de la cour de ferme. Dans des cas plus rares, elle s'intégrera au noyau traditionnel des bâtiments de ferme lorsque l'érablière prend racine dans une zone peu cultivable, notamment à cause de la topographie et de la nature des sols. Sur l'avenue Royale à Château-Richer ou dans le premier rang de Saint-Gervais dans Belle-chasse, la cabane à sucre fait corps avec les autres bâtiments de la ferme.

À compter du milieu du XIXe siècle, l'architecture de la cabane à sucre se précise et se raffine. Des découvertes technologiques successives amèneront des bouleversements importants dans les méthodes de cueillette et de cuisson de l'eau d'érable : dès 1865, le chaudron de fonte est remplacé par la bouilloire

Ceinturant la cabane à sucre, l'érablière fond celle-ci dans le paysage.

À la fin des années 60, l'exploitation de l'érablière est confrontée à des bouleversements profonds. Avec une population qui s'urbanise, les citadins sont de plus en plus nombreux à leur pèlerinage printanier. Lieu de rendez-vous familial, elle devient un attrait goûté par les touristes. Dès lors, certains sucriers, sentant venir le vent, confèrent une nouvelle vocation à leur cabane à sucre : réception de mariage, soirée familiale, visite éducative, halte gourmande ; de plus, le touriste étranger veut voir « la cabane au Canada ». Cette vocation récréative coïncide avec une spécialisation de la production, dans laquelle les érablières, moins nombreuses, regroupent un nombre d'entailles plus élevé.

de tôle, la goutterelle de cèdre cède le pas à celle d'acier vers 1885, les seaux d'aluminium sont introduits vers 1939. Au centre de l'érablière, la cabane à sucre est construite en bois, repérable à sa cheminée de ventilation élargie appuyée sur le faîte du toit. Ses dimensions sont souvent proportionnelles à l'importance de l'érablière. Jusqu'au début des années 60, elle est divisée en trois sections distinctes : la salle d'évaporation où l'on fait bouillir la sève d'érable et qui aux autres saisons sert à entreposer le matériel de cueillette ; la chambre à bois qui alimentera durant plusieurs jours le feu, et finalement la chambre du sucrier, petite pièce où un lit, une table et une chaise ou deux composent le mobilier. Souvent, la statue de Notre-Dame-des-Érables y a sa niche. Sur les 150 000 fermes que compte le Québec en 1941, plus de 25 000 possèdent une érablière en activité.

À mesure que la culture progresse, l'érablière recule.

Grâce au système tubulaire reliant les érables les uns aux autres au moyen d'un tuyau flexible qui livre la sève directement à la cabane et à l'osmose inversée qui permet de séparer l'eau du sucre avant de la faire bouillir (vers 1975), la cabane à sucre moderne est née. Pouvant répondre aux besoins de plusieurs centaines de visiteurs, elle s'est fondue en un immense bâtiment propice au déroulement d'activités saisonnières variées. La cueillette de la sève d'érable est concentrée en un lieu spécifique où l'informatique a pris racine. Parfois, la cabane à sucre traditionnelle, devenue objet de curiosité, abrite un musée ou un centre d'interprétation.

Chemin de la Plaine à Cap-Saint-Ignace.

Chemin du Golf à Montmagny.

Le caveau à légumes

Le caveau à légumes : le frigo d'autrefois. Avenue Royale à Château-Richer.

La conservation des aliments ne pose plus problème. Dans la société québécoise traditionnelle, plusieurs moyens ont été mis de l'avant pour s'assurer que les denrées « passent l'hiver ». Outre la cave de la maison, les aliments étaient conservés au grenier, dans la laiterie, dans la cuisine d'été ou encore dans une cache sous la neige. En longeant l'avenue Royale entre la municipalité de L'Ange-Gardien et celle de Saint-Joachim, dans la région de Québec, on remarquera que nombre des fermes traditionnelles ont conservé leur caveau à légumes. La plupart d'entre eux sont implantés en bordure de la route, une localisation intentionnelle car, devant se rendre au caveau toutes les deux ou trois semaines pour y puiser des provisions, l'habitant veut s'éviter une corvée de déneigement et profite du déblaiement du chemin public. Au Lac-Saint-Jean, on parle de « la cave de dehors » et sur la côte de Beaupré, on en trouve une concentration inusitée.

Cette situation est l'expression d'une tradition ancienne, certains diront amérindienne, alors que d'autres y voient une adaptation du légumier de France. Elle trouve aussi son

La végétation gagne le toit du caveau pour mieux garder la fraîcheur.

La neige viendra renforcer cette enveloppe isolante et la température ambiante à l'intérieur variera entre 2 et 5 °C. Durant la saison estivale, le caveau conserve une température inférieure de quelques degrés à la température extérieure.

Dès le début du mois d'octobre, le caveau fait l'objet de certains travaux préliminaires avant qu'on y entrepose les premiers légumes. Après un bon nettoyage, on l'enduit de chaux et on étend sur le sol de terre battue de la paille fraîche, du foin de mer ou encore du jonc de grève qui répand une bonne odeur.

explication dans la topographie puisque l'avenue Royale se déploie juste au pied des versants de la côte. L'habitant profite de ce relief accidenté pour y ériger son caveau à légumes, à quelques mètres de la maison, en enfouissant sous terre plus de la moitié de celui-ci. La terre agit alors comme une enveloppe isolante, maintenant la fraîcheur dans le caveau et protégeant la pierre de la chaleur extérieure ; il est fréquent de voir la végétation se déployer sur le toit du caveau.

Profiter de la topographie pour « enfoncer le buton ».

La terre agit comme une enveloppe isolante.

Le caveau est ensuite divisé en carrés ou « ports » pour recevoir les aliments : les pommes de terre, les choux, les carottes, les betteraves, les poireaux, les navets et souvent des pommes ; on y place aussi des conserves en bocaux ainsi que des viandes tel le lard salé.

Le caveau à légumes

Chemin Mountain View, Saint-Gabriel-de-Valcartier.

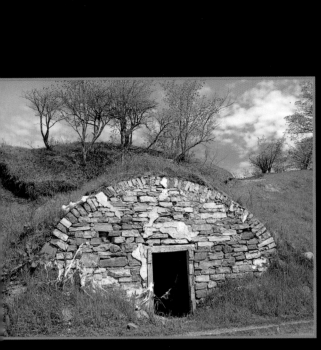

Avenue Royale, Château-Richer.

Avenue Royale, L'Ange-Gardien.

Ces fruits et légumes ne sont pas empilés pêle-mêle. Chacun demande des précautions particulières : les choux sont suspendus à une poutre, tête en bas, à l'aide d'une corde ; les carottes sont enterrées dans le sable, de la sciure ou des copeaux de bois ; la pomme, qui ne doit pas prendre le goût des légumes, est enveloppée individuellement dans du papier journal avant d'être rangée dans des barils ou des mannes. La durée de conservation des aliments s'étend alors sur plusieurs mois. Le caveau « garde bon jusqu'au mois de juillet » au dire de plusieurs informateurs. Les patates prendront un léger goût de sucre fort prisé et les choux se conserveront jusqu'à Pâques.

De forme généralement rectangulaire, le caveau à légumes mesure en moyenne 342 centimètres de largeur (11 pieds), 396 centimètres de profondeur (13 pieds) et 229 centimètres de hauteur (7 pieds). Les quatre murs sont en pierre ; les gens de la côte de Beaupré vont profiter de la présence de carrières à proximité pour privilégier ce matériau. Coiffé d'un toit voûté ou à pignon, le caveau a une seule ouverture de faibles dimensions, soit environ 81 centimètres de largeur (2,6 pieds) sur 188 centimètres de hauteur (6 pieds). Une double porte le ferme, ce qui empêche le froid de pénétrer lorsqu'on se rend chercher des provisions. La première porte, construite en bois, est enlevée durant la saison estivale et remplacée par une porte moustiquaire facilitant l'aération du caveau tout en empêchant la vermine d'y pénétrer. Moins utilisé de nos jours, le caveau à légumes demeure une belle composante architecturale de la ferme traditionnelle.

Le séchoir à tabac, un beau régionalisme architectural de Lanaudière. Rang Saint-Jean-Baptiste à Lanoraie-d'Autray.

 # *Le* séchoir à tabac

Les séchoirs à tabac retracent l'évolution de cette culture non seulement dans la région de Lanaudière mais aussi ailleurs. Deux types de culture du tabac vont se pratiquer, dont les répercussions sur le paysage seront différentes : le tabac à pipe et à cigare et le tabac jaune ou tabac à cigarette. La plus ancienne (1721) et la plus répandue quant à son aire de dispersion géographique est la culture du tabac à pipe et à cigare. Cultivé de façon artisanale, le tabac ne vise qu'à répondre aux besoins de l'habitant, qui fait sécher son tabac dans un hangar ou une remise attenante.

À compter de 1867, les premières plantations commerciales apparaissent et, en 1871, le Québec est devenu la plus importante province productrice de tabac. Apparaissent alors les premiers séchoirs à tabac à pipe et à cigare. Le séchoir à tabac est une construction rectangulaire à charpente claire chapeautée d'un toit à deux versants, sans fenêtre ; il se distingue des autres bâtiments parce qu'il est surmonté d'une trappe d'aération qui s'apparente à celle de la cabane à sucre. Ce séchoir est à convection naturelle, c'est-à-dire qu'une fois coupées les feuilles de tabac sont attachées sur des lattes de bois et soumises à des variations de température ; un système de trappes, sises dans la partie inférieure du bâtiment, permet de contrôler avec plus ou moins d'efficacité la température ambiante et le taux d'humidité.

Le séchoir traditionnel va caractériser la ferme tabacole.

Le séchage naturel du tabac à pipe à Saint-Paul près de Joliette.

Au début du XXe siècle, la vallée de la Yamaska, notamment avec la Coopérative de Saint-Césaire-de-Rouville, joue un rôle de premier plan dans la culture du tabac à pipe et à cigare, qui a connu aussi une certaine popularité au Saguenay – Lac-Saint-Jean. De nos jours, cette culture sur une base commerciale est en voie de disparition dans la région de Joliette avec moins de 10 producteurs. À l'origine de ce déclin, l'apparition sur le marché du tabac jaune, mieux connu sous le nom de tabac à cigarette. Durant la Première Guerre mondiale, les militaires vont se faire les propagandistes de la cigarette, à laquelle on associe le courage, la maturité, la liberté. L'agronome Conrad Turcot décide de mener des expériences sur l'implantation de la culture du tabac jaune dans la région de Joliette, qui avait déjà fait ses preuves en Ontario.

Les séchoirs à tabac apparus au début des années 30. Rang Saint-Albert à Sainte-Mélanie.

Dès 1930, le ministère de l'Agriculture accorde ses premières subventions pour la construction de séchoirs à tabac. En 1937, on dénombre déjà près d'une vingtaine de séchoirs dans Lanaudière.

La culture du tabac à cigarette, d'abord activité complémentaire, devient une activité de spécialisation. Des terres complètes sont transformées en plantation de tabac, donnant naissance à la ferme tabacole. Mesurant 6,80 mètres sur 7,30 mètres sur 4,90 mètres (à la partie inférieure du toit) (22,5 pieds sur 24 pieds sur 16 pieds de haut), les séchoirs se multiplient, recouverts de papier d'asphalte rouge, vert ou orange. On peut en dénombrer facilement sept ou huit sur chaque ferme tabacole. Ces séchoirs sont à ventilation forcée, c'est-à-dire que l'on utilise un système de chauffage pour mieux y contrôler la chaleur et l'humidité. Ils cèdent bientôt le pas à des séchoirs plus performants dont la physionomie s'apparente à celle d'une maison mobile.

Parmi les autres éléments visuels de la ferme tabacole se trouve le brise-vent de conifères aménagé pour contrer l'érosion éolienne sur ces terres de sable ; l'aménagement de plans d'eau à proximité des champs en culture pour lutter contre le gel et la sécheresse est indispensable à l'irrigation des terres. Quant aux serres, elles permettent au producteur de tabac de démarrer ses plants tôt au printemps. L'entrepôt, bâtiment le plus imposant de l'entreprise, abrite le tabac sous forme de ballots durant quelques semaines. Le moment venu, les fabricants de cigarettes prennent livraison de ces derniers.

Marguerite Bernier et Marcel Chagnon

Le discours de la bonne terre

Après avoir cultivé la terre toute leur vie, la retraite pourrait être le moment choisi pour cultiver leurs souvenirs. Marcel Chagnon et Marguerite Bernier d'Acton-Vale vivent leur retraite autrement. La passion de la terre et des animaux vibre encore dans leurs yeux. C'est probablement l'héritage le plus précieux qu'ils ont légué à leurs enfants devenus ingénieurs agricoles, vétérinaire, agronome et bien sûr agriculteur. La formule pour en arriver là? Au départ, aimer son métier, être optimiste et confier des responsabilités aux enfants : « Il y a des moments difficiles, des journées où on est prêt à tout lâcher ; mais le lendemain matin on a le goût de continuer. »

La retraite, ce n'est pas s'arrêter, c'est mettre de côté « l'huile de bras », accompagner le fils qui continue de faire avancer l'entreprise familiale, choisir ses *jobs* comme conduire le tracteur, enfiler la comptabilité sur ordinateur. La retraite, c'est aussi orchestrer des petits clins d'œil au passé. Le passé, c'est 1994, où la famille Chagnon est élue famille agricole de l'année, c'est Marcel Chagnon conseiller municipal de 1975 à 1981, maire de la paroisse de Saint-André de 1981 à 1997, préfet de la MRC d'Acton de 1989 à 1997, premier vice-président général de l'UPA en 1993. Et depuis 1997, la retraite se fait jouer un tour car elle a toutes les apparences d'un travail de producteur à temps plein.

Les fours à charbon, de grosses ruches dans le paysage. Route 354 à Chute Panet dans Portneuf.

Le four à charbon de bois

À la fin du XIXe siècle, moment qui coïncide avec l'apparition des premiers fours à charbon de bois, le cultivateur de plusieurs régions du Québec vit du système agroforestier. En plus de tirer des revenus de ses animaux et de ses cultures très diversifiées, il exploite les ressources forestières, par exemple la coupe du bois sur sa terre ou dans les chantiers mais aussi le charbon de bois. La production de charbon de bois est une activité saisonnière et artisanale. Seules les régions de Portneuf, du Témiscouata, de Lotbinière, de Labelle et de Papineau verront des fours à charbon de bois s'ajouter aux bâtiments de ferme. En 1942, sur les quelque 370 fours dénombrés au Québec, on en retrouve plus de 80 % dans la région de Portneuf, principalement à Saint-Raymond.

C'est à Elzéar Bertrand, de Sainte-Catherine-de-Portneuf, que l'on doit l'implantation des premiers fours à charbon de bois en brique, vers 1875. Alors que la coupe du bois bat son plein, Elzéar Bertrand est soucieux de récupérer les résidus du bois et désire introduire la méthode de carbonisation, qu'il a découverte dans la région du lac Supérieur. Les fours à charbon de bois conserveront leur utilité jusqu'au début des années 1990. Les prix fluctuants, mais peut-être encore davantage

l'apparition de nouvelles normes environnementales, vont contribuer à la disparition de cette activité.

Le four à charbon de bois a l'apparence d'une grosse ruche. Souvent localisé à proximité du noyau des bâtiments de ferme, il est aussi couramment érigé en pleine forêt, à proximité des sources d'approvisionnement, au pied d'une colline ou d'un buton, ce qui permet de faciliter le chargement du four (billes de bois) par la porte d'enfournement placée sur la voûte. Le four est une construction relativement simple et le contrôle de la carbonisation du bois constitue le travail principal du charbonnier. Ce dernier doit toujours garder

La porte d'enfournement placée sur la voûte est accessible par la passerelle.

Le four à charbon de bois

Rang du Nord, Saint-Raymond.

Rang Sainte-Croix, Saint-Raymond.

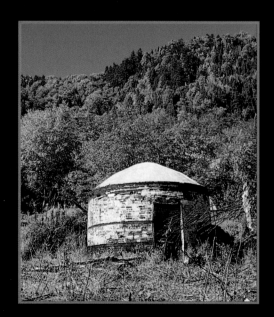

Rang du Nord, Saint-Raymond.

Rang Sainte-Croix, Saint-Raymond.

Rang Sainte-Croix, Saint-Raymond.

Rang du Nord, Saint-Raymond.

présent à l'esprit que le but de la carbonisation consiste à faire sécher le bois, à le rougir, à le cuire, mais non à le brûler. Plusieurs matériaux vont être expérimentés dans la construction des fours à charbon de bois : la pierre, le ciment, l'acier et la brique, qui gagnera la faveur des charbonniers artisanaux.

Le four est composé de trois parties distinctes : la base ou les fondations, la structure centrale appelée four et la voûte. De forme circulaire (on retrouve toutefois quelques fours de forme rectangulaire, carrée ou même à 12 côtés), le four artisanal a un diamètre variant de 3 à 6 mètres (10 à 20 pieds). La base enfoncée de moins de un mètre (3 pieds) dans le sol est faite en béton légèrement surélevé en son centre pour laisser échapper le goudron, que l'on recueille. Le four est érigé en brique et les murs ont une épaisseur de 30 centimètres (12 pouces). À intervalles réguliers, on retrouvera des rangs de boutisse.

On remarquera aussi la présence d'une trentaine d'évents ou d'ouvertures dans les rangs de brique. Sur la voûte, la trappe d'enfournement prend place ; elle mesure approximativement 1 mètre sur 1,30 mètre (3 pieds sur 4 pieds) et est construite en fer et en amiante. La porte de défournement (1 mètre sur 2 mètres, ou 3 pieds sur 6 pieds) sera perforée de 2 évents munis d'un couvercle basculant qui permettra au charbonnier de surveiller la condensation à l'intérieur du four pendant le refroidissement. Autour du four, des bandes d'acier sont fixées afin de retenir les murs et la voûte durant la combustion.

L'art du charbonnier se vérifiera au cours des quatre étapes de la fabrication du charbon de bois : l'enfournement, l'allumage, la cuisson et le défournement. L'enfournement consiste à corder les huit cordes de bois de quatre pieds (1,2 mètre) que contient généralement le four artisanal. L'allumage se fait au moyen d'une matière combustible (huile, essence) au centre du four, où le charbonnier a prévu une cheminée d'allumage. Les portes d'enfournement et de défournement sont alors scellées. La cuisson dure entre cinq à six jours.

Les bandes d'acier retiennent les murs durant la cuisson.

La trappe d'enfournement.
Rang Saguenay à Saint-Raymond.

Le charbonnier doit tenir compte du type de bois emmagasiné, de la présence des vents et surtout contrôler constamment l'ouverture de ses évents. Selon la couleur de la fumée qui se dégage du four, il peut constater les différentes étapes de la carbonisation. Le refroidissement du four exige approximativement 72 heures. Le charbon est retiré avec une pelle ou un crochet ; les résidus sont alors passés au sas et destinés aux poules, poulets et poussins. Quant à la cendre, elle était utilisée autrefois pour produire de l'encens. Le charbon de bois est placé dans la « boîte à charbon », une voiture de facture artisanale, ou encore entreposé dans de petits hangars. Par la suite, il est amené à l'usine, où il est trié, concassé et empaqueté.

Rang Saguenay à Saint-Raymond.

Rosaline Ledoux

Des mots choisis...
au féminin pluriel

Première femme à tourner sa plume vers l'agriculture, depuis 37 ans elle écrit dans l'hebdomadaire *La Terre de Chez Nous*. Sa motivation profonde : la défense des agricultrices. Pour les atteindre, des mots choisis, des mots quotidiens pour mieux les digérer, des mots bien asservis à sa philosophie personnelle : « Avancer mais regarder en arrière pour voir si le monde suit ». En arrière ce sont des femmes qui écrivaient pour lui dire qu'elles ne voulaient plus d'enfant tous les ans, que le curé était de trop dans la chambre à coucher ; en arrière ce sont des femmes, qui, voyant leurs filles libérées, regrettent amèrement leur vie. Trente-sept ans plus tard, l'impression d'avoir réussi, une réussite coiffée d'humilité. Cette confiance longuement méritée lui fait dire que le plus beau jour de la semaine est toujours celui où elle se rend au journal.

Environnement, quota laitier, marchés d'exportation ou pollinisation des concombres, la presse agricole n'est pas à court de sujets, sans oublier les nouvelles de la Fédération des agricultrices du Québec qui a fêté ses 10 ans, le crédit agricole qui accorde un prêt sur cinq à des femmes ou un hommage à l'agricultrice de l'année. Lu par 100 000 personnes, *La Terre de Chez Nous*, fondé en 1929, est un maillon important de la vie agricole avec *Le Bulletin des Agriculteurs*, dont l'existence remonte à 1918. Ces deux publications vont avoir imprimé le XXe siècle en colonnes comme aucune autre publication spécialisée ne l'aura fait.

Des régions
à célébrer

CHAPITRE 4

Déguster et se cultiver

Chemin Royal à Sainte-Famille, île d'Orléans.

La pomme à l'honneur. Chemin de la Montagne, Mont-Saint-Hilaire.

Pour célébrer les régions, des paysages différents, des cultures et des élevages diversifiés, des producteurs dont le savoir-faire ne cesse de se raffiner. Notre appétit citadin de campagne nous conduit, au gré de nos humeurs vagabondes de fin de semaine, jusqu'à eux pour qu'ils nous gavent de quelques pans de nos traditions culinaires, de notre patrimoine agricole, de l'actualité rurale et d'eux-mêmes. L'agrotourisme est né, découverte, lecture inédite de la campagne qui permet au visiteur d'être témoin de l'intimité entre l'humain, la terre et les bêtes. Plusieurs formules ont été mises de l'avant : tables champêtres, visites commentées à la ferme, autocueillette, gîtes à la ferme, centres d'interprétation, etc.

Pour célébrer les régions, il faut d'abord bien les connaître. Le Québec en compte plus d'une quinzaine. Un clin d'œil suffira à saisir la vocation agricole de chacune d'elles, son climat, sa topographie, les bêtes et les cultures qui la façonnent. Pour célébrer les régions aussi, des attraits innombrables et diversifiés. Nous avons privilégié d'abord les plaisirs du palais, soit les produits fermiers.

Page précédente :
La récolte des choux à Sainte-Dorothée, Laval.

Fromage, confiture, vin, cidre, miel, yogourt, etc., le menu des régions du Québec ne cesse de se diversifier. Les fins palais sont de plus en plus nombreux à fureter à la campagne pour déguster nos produits fermiers. Conforme à des normes d'hygiène et de qualité d'un niveau jamais atteint auparavant, cette agriculture bénéficie de la créativité de ses producteurs, de ses chefs cuisiniers et des nouvelles habitudes alimentaires qui s'installent dans nos assiettes. Les produits fermiers se comptant par centaines au Québec, il nous a bien fallu faire une sélection. De la tire d'érable au beurre de pomme, nos choix forcément arbitraires furent toujours guidés par des gens vivant en région. Nous avons retenu les produits fabriqués, transformés et vendus à la ferme (ou ailleurs dans certains cas), souvent accompagnés d'un volet culturel (visite guidée), et se démarquant par leur originalité. La liste est imposante !

La citrouille, prétexte à de belles randonnées en région.

Pour célébrer les régions enfin, l'heureux mariage de l'agriculture et de la culture, dont les rejetons sont les musées, les centres d'interprétation et les fermes éducatives. Une belle façon de renouer avec nos origines rurales. L'évolution rapide de la technologie agricole a contribué à une prise de conscience chez certains producteurs. Plusieurs d'entre eux, sans aide financière aucune, ont concrétisé des projets d'envergure. Un langage leur est à tous commun, trop longtemps mis en quarantaine : patrimoine, tradition, avenir. Enfin, dernières-nées de l'agrotourisme, les fermes éducatives où il est possible de passer des vacances, de participer aux travaux de la ferme et de discuter avec les producteurs de leur quotidien.

Chemin Mountain View à Saint-Gabriel-de-Valcartier.

Et sur place, vous pourrez peut-être participer à l'un des 200 festivals agricoles du Québec qui offrent une belle occasion de se régaler des produits des régions. Les festivals sont aussi le prétexte de rencontres au hasard avec ceux et celles qui, derrière leurs produits fermiers, aiment faire la fête. Bref, une belle occasion de tendre l'oreille et d'observer que dans chacune de ces régions l'appartenance devient une tradition !

Abitibi-Témiscamingue

Rang 9 à Palmarolle.

*L'*agriculture a été le fer de lance de l'exode vers l'Abitibi au cours de la crise économique de 1929. Cette région compte sur son territoire une population de 160 000 résidents, dont 950 exploitants agricoles. Près de la moitié d'entre eux se retrouvent au Témiscamingue alors que les autres sont disséminés sur le territoire de l'Abitibi. Au centre de cette activité, la production bovine (vache laitière et bœuf de boucherie) regroupe environ 800 exploitants. La production laitière est l'épine dorsale de la région avec plus de 50 % de l'activité économique agricole. C'est dans le secteur du Témiscamingue que le lait a ses plus beaux fleurons. L'Abitibi-Ouest, pour sa part, est la municipalité régionale de comté (MRC) où le nombre de producteurs de bovins de boucherie, à temps complet, est le plus élevé au Québec. Ces derniers ont développé des expertises reconnues à travers le monde, dont les techniques d'ensilage qui permettent de nourrir de gros troupeaux et de produire une viande de qualité. À Montbrun, le plus important éleveur de veaux d'embouche du Québec élève 900 têtes.

La production de céréales et d'oléagineux est devenue indispensable sur tout le territoire pour nourrir les 100 000 bovidés recensés. Cette spécialisation des élevages n'en a pas moins laissé place à une belle diversification de l'activité agricole, où les éleveurs de moutons, de chèvres, les producteurs de cultures maraîchères (chou, chou-fleur, brocoli), notamment à Rivière Héva, de pommes de terre, etc., trouvent aussi leur place au soleil. Si l'Abitibi compose avec des saisons de végétation plus courtes, elle n'en bénéficie pas moins d'un meilleur ensoleillement, d'un air sec et d'une plus longue période de luminosité en raison de sa situation géographique.

Des productions un peu plus pointues, souvent mal connues au Québec mais déjà exportées dans d'autres pays, y ont trouvé bonne table : le riz sauvage d'Abitibi, le caviar de corégone du Témiscamingue, les champignons laurentiens et les truites Saint-Mathieu, autant d'attraits touristiques. L'agriculture de la région se tourne résolument vers de nouveaux défis : un vignoble implanté à Ville-Marie qui a déjà donné ses premières bouteilles et une cinquantaine de fermes spécialisées dans les élevages exotiques (sanglier, bison, autruche et cervidés). L'Abitibi-Témiscamingue a un potentiel de mise en valeur agricole inégalé avec plus de 150 000 hectares de terre disponibles.

Produits fermiers

Au gré des framboisiers
697, rang 9 Ouest, Palmarolle
Framboises, groseilles, gadelles (visite guidée)

Chèvrerie Dion enr.
128, route 101, Montbeillard
Fromage de chèvre

Érablière L. Lapierre
1511, route rurale 1, rang 2, Fabre
Beurre d'érable, gelée, caramel

Ferme du Geai Bleu enr.
389, route 101, C.P. 314, Saint-Bruno-de-Guigues
Bovins de race Highland (visite guidée)

Ferme Sylvio Lussier
546, rang 4 Ouest, Poularies
Produits de la ferme, cerfs roux et chèvres boërs

Fromagerie La Vache à Maillotte
206, rue Principale, La Sarre
Fromage de vache (visite guidée)

La Ferme au Village
45, rue Notre-Dame Ouest, C.P. 342, Lorrainville
Cheddar et cheddar au lait cru (visite guidée)

La Petite Biquette de l'Abitibi enr.
141, rang 5 et 6, Cadillac
Fromage et lait de chèvre (visite guidée)

La Petite Ferme du lac Hélène
285, rang 5 et 6 Ouest, Évain
Produits de l'émeu (visite guidée)

Le Coteau de l'Harricana
100, rang 2, Saint-Mathieu
Produits dérivés de l'autruche (visite guidée)

Le Domaine de l'Érablière
2, rang 3, Rémigny
Produits de l'érable

Le Gallichamp de Fraises
241, chemin de la Rivière Ouest, Gallichan
Fraises, framboises, confitures, pâtisseries, légumes

Les Confitures de la Fraisonnée
12, rang 3, Clerval
Produits de la fraise

Vignoble Domaine DesDucs
Route de l'Île-du-Collège, Ville-Marie
Vin blanc, vin rouge (visite guidée)

Les Serres Coopératives de Guyenne
715, rang 5, C.P. 70, Guyenne
Tomate en serre et autres légumes

Ferme éducative

Ferme Clarital inc.
360, rang 2, Laverlochère
Ferme laitière, travaux de la ferme, hébergement

Bas-Saint-Laurent

Route 132 à Saint-Denis dans la région de Kamouraska.

*I*ntégrée à un vaste territoire sis entre La Pocatière et Les Méchins et s'étirant au sud jusqu'à la hauteur de la municipalité de Sainte-Florence, l'agriculture du Bas-Saint-Laurent s'épanouit sur la frange littorale du fleuve et dans les vallées du Témiscouata et de la Matapédia. Sur les terrasses et les plateaux appalachiens s'élevant derrière, faiblement peuplés, on a privilégié l'activité forestière. Caractériser l'agriculture du Bas-Saint-Laurent se résume en deux mots : productions animales. Au premier plan, l'industrie laitière avec plus de 1200 producteurs et les éleveurs bovins presque trois fois moins nombreux. Depuis deux décennies également, le Bas-Saint-Laurent est en voie de devenir le berceau de la production ovine du Québec avec plus de 150 producteurs concentrés principalement autour des municipalités de l'arrière-pays de Rimouski comme Saint-Marcellin, Saint-Gabriel, La Trinité-des-Monts, etc. Un projet pilote pour produire des agneaux de pré-salé sur L'Isle-Verte s'annonce prometteur. C'est à La Pocatière que l'on retrouve le seul Centre d'insémination ovine du Québec et le Centre d'expertise en production ovine du Québec.

Pour nourrir toutes ces bêtes, la production de céréales est indispensable : l'orge de printemps occupe les deux tiers des superficies utilisées alors que l'avoine et le blé occupent le tiers restant. Le soya et le canola ont fait leur entrée avec succès. Autrement, des prairies de luzerne, de trèfle et de brome forment damier sur le littoral. L'horticulture est une tradition, principalement à l'ouest de la région : on y recense 192 horticulteurs qui cultivent pommes de terre (Saint-Arsène), carottes, fraises, rutabagas, choux-fleurs (Saint-Pascal), choux, framboises et maïs sucré. L'horticulture a une caractéristique bien particulière dans la région de Rivière-du-Loup puisqu'on y cultive la mousse de tourbe, notamment à Rivière-Ouelle et à L'Isle-Verte. La production porcine est en voie de démarrage et le maillage entre l'agriculture et le tourisme est à l'origine de plusieurs initiatives agrotouristiques. La région du Témiscouata, tournée vers l'acériculture, a donné naissance à quelques produits de transformation inédits comme les liqueurs alcoolisées de Vallier Robert.

Produits fermiers

Autruches et Émeus de l'Est
221, 2ᵉ rang Ouest, Luceville
Viande, plumes, etc. (visite guidée)

Érablière Argentée
Chemin de la Réserve, Saint-Marcellin
Produits de l'érable (visite guidée)

Érablière La Coulée Dorée
276, chemin Principal, Saint-Pierre-de-Lamy
Produits de l'érable (visite guidée)

La Framboisière des 3 inc.
17, rue du Domaine, Saint-Pacôme
Apéritifs *Le Pacômois* et *Le Pier O*

Les Jardins du Saroît
400, rue Principale, Saint-Gabriel
Framboisière biologique (visite guidée)

Les Serres Les Grands Vents
294, rang 4 Est, Saint-Mathieu-de-Rioux
Sirops et gelées de pétales de roses

Miel Naturel Saint-Paul-de-la-Croix
200, rang 3 Ouest, Saint-Paul-de-la-Croix
Produits dérivés du miel (visite guidée)

Vallée Verte 1996 inc.
255, route 132 Ouest, Sainte-Luce
Jus de carotte Vallée Verte

Vallier Robert, artisan acériculteur
65, route du Vieux Moulin, Auclair
Boissons alcoolisées à l'érable et produits fins

Fermes éducatives

Circuit des Fermes de Saint-Éloi
120, Notre-Dame Ouest, Trois-Pistoles
Ferme, élevage bovin, etc. (visite guidée)

Ferme Le Moutonnoir
3232, rang 4, Saint-Ulric-de-Matane
Bergerie et chiens rassembleurs (visite guidée)

Ferme Valdolain
134, chemin Taché Est, Saint-Cyprien
Ferme laitière (visite guidée)

Musées et interprétation

Ferme du Petit Cheval de Fer
80, route 132, Saint-Germain
Interprétation sur le cheval canadien

Musée François-Pilote
100, 4ᵉ Avenue, La Pocatière
Exposition sur la vie rurale

Musée de Kamouraska
69, avenue Morel, Kamouraska
Musée sur les traditions rurales

L'Aboiteau de Kamouraska
60, route 132 Est, Saint-Denis
Digue protégeant les terres agricoles de l'eau salée

Le Fournil, musée agricole
7, route de Kamouraska, Kamouraska
Collection de machinerie agricole ancienne

La Maison de la Prune
129, route 132 Est, Saint-André
Verger-musée de la prune de Damas

Bois-Francs – Drummond

Rang de la Grande-Rivière à Bécancour.

*A*dossé au piedmont appalachien et borné au nord par le Saint-Laurent, le Centre du Québec est la deuxième région agricole d'importance de la province après la Montérégie. Au premier plan, l'industrie laitière fait se déployer les très beaux troupeaux de vaches Holstein répandus sur la quasi-totalité des 1700 fermes laitières dont bon nombre sont localisées dans l'axe Plessisville – Drummondville ; à Saint-Albert-de-Warwick, on retrouve le plus gros troupeau du Québec, sinon du Canada, avec 650 bêtes à traire. Découlant de cette production, de nombreuses fromageries, dont la fromagerie Côté sise à Warwick qui, avec son *Cantonnier* ou son *Sir Wilfrid*, cumule les prix d'excellence mondiaux. La Fromagerie Tournevent, spécialisée dans la fabrication du fromage de chèvre, collectionne elle aussi les honneurs.

La production bovine (seconde région en importance au Québec), celle des viandes de volaille et de porc (Sainte-Séraphine), les céréales et les oléagineux, ainsi que les productions horticoles (secteur de Pierreville) ajoutent encore à ce paysage d'une grande diversité agricole. Les sols et la topographie étant propices à la croissance des érables à sucre, la production acéricole est omniprésente dans les paysages valonneux. Dans la région de Plessisville, capitale mondiale de l'érable où se loge un musée de l'acériculture, les érablières, modernes ou traditionnelles, sont présentes partout. Une trentaine de producteurs de Saint-Louis-de-Blandford – Villeroy ont donné naissance à la culture des canneberges.

L'ouverture d'une coopérative et d'un abattoir spécialisé à Saint-Thomas-d'Aquin a donné un bon coup d'envoi aux élevages exotiques. D'autres initiatives, comme le fromage de brebis de Chester-Est ou la caille de Sainte-Marie-de-Blandford, semblent prometteuses. Le secteur sud de la région, compris entre Warwick et Plessisville, dévoile des établissements de ferme parmi les plus enviables du Québec.

 Produits fermiers

Chèvrerie l'Angélaine
12275, boul. Bécancour, Sainte-Angèle-de-Laval
Mohair (visite guidée)

Érablière Beau Van
78, de l'Église, Baie-du-Febvre
Produits de l'érable biologiques

Ferme des Voltigeurs
2350, boul. Foucault, Saint-Charles-de-Drummond
Poulet de grain, dinde de grain

Ferme H.P.L.
1990, rue des Bouvreuils, Gentilly
Agneau de lait, léger, lourd, côtes, foies, saucisses

Fromagerie Tournevent inc.
7004, rue Hince, Chesterville
Le Biquet, *Le Chèvre Noir* et *Le Tournevent*

Gîte La Moutonnerie
1140, rue Pays-Brûlé, Saint-Célestin
Produits dérivés de l'agneau

L'Alvéole
676, rue Saint-Antoine, Sainte-Sophie-de-Lévrard
Miel crémeux, cholamiel (miel au chocolat)

La Samare
349, rang 10 Sud, Saint-Pierre-Baptiste
Caramel à l'érable, sirop d'érable

La Sucrerie d'Antan
320, route 116 Ouest, Plessisville
Produits de l'érable (visite guidée)

Miellerie Goyette
536, rang Craig, Tingwick
Pollen, propolis (gomme à usage médical)

Produits de l'Érable Saint-Ferdinand B
185, route 165, Saint-Ferdinand
Sucre d'érable en sachets

Vergers Duhaime et Associés
405, route 239, Saint-Germain-de-Grantham
Produits de la pomme (visite guidée)

Vergers des Horizons inc.
1, rue Saint-Louis, Warwick
Gelée, jus et pommes tranchées

Vignoble de l'Aurore Boréale
1421, rang Brodeur, Saint-Eugène-de-Grantham
Nuit des Perséides et *Rosé des Peupliers*

Lucille Giroux
386, rang 3, Chester-Est
Fromage à base de lait de brebis, fromage feta

 Ferme éducative

Ferme du Bassin
1040, Saint-Jean-Baptiste, Saint-Joachim-de-Courval
Élevages variés (visite guidée)

 Musées et interprétation

Centre d'interprétation de la canneberge
320, rang Saint-François, Saint-Louis-de-Blandford
(ouvert en septembre et octobre seulement)

Moulin à laine d'Ulverton
210, chemin Porter, Ulverton
Centre d'interprétation des textiles

Le Musée de l'Érable
1280, rue Trudel, Plessisville
Exposition sur l'acériculture

Cantons-de-l'Estrie

Chemin de Dunham à Dunham.

Les contreforts des Appalaches dessinent le paysage de la région. Entre les alignements montagneux à peu près parallèles constitués par les monts Orford, Sutton et Mégantic, les vallées prennent place, dévoilant les plus beaux paysages agricoles du Québec. Meublant ces vallées, les fermes laitières comptent pour près de 30 % des fermes de la région. Le secteur de Coaticook, surnommé le bassin laitier du Québec, en regard de la concentration de ses fermes laitières, possède une ferme-école vouée à la formation des futurs agriculteurs. L'élevage de bovins de boucherie (canton Eaton) constitue une pierre angulaire de l'agriculture régionale avec près de 800 producteurs, dont bon nombre œuvrent toutefois à temps partiel. Depuis une vingtaine d'années, les troupeaux de moutons se sont multipliés (Sawyerville) comme pour ajouter aux charmes de cette campagne bucolique. C'est que sur les fermes de la région, l'alternance des cultures (céréales, maïs-grain), des fourrages et des pâturages contribue à un heureux mariage.

L'horticulture ornementale est surtout associée à la culture des arbres de Noël et la MRC du Haut-Saint-François regroupe bon nombre de producteurs. La culture des petits fruits (fraises, framboises, bleuets géants) s'est répandue sur plusieurs terres, notamment en bordure des zones périurbaines comme Sherbrooke et Magog depuis une décennie à peine. Ce paysage se complète par l'apport non négligeable de la forêt, qui permet l'activité acéricole et sert souvent d'écran à des activités moins attrayantes pour le touriste. Des producteurs de Coaticook mènent un projet pilote sur la culture du chanvre en vue notamment d'utiliser à leur plein potentiel des terres en friche. Et profitant de la vocation touristique de la région, plusieurs agriculteurs ont innové pour mettre en marché des produits dont la réputation est faite auprès de l'ensemble des Québécois : le vin de sirop d'érable de Dunham, les vins blancs et rouges de la région de Dunham, le canard du lac Brome, la gelée de rose de Stoke, le fromage de Saint-Benoît-du-Lac, etc.

♣ ♣

Produits fermiers

Abbaye Saint-Benoît-du-Lac
Chemin de l'Abbaye, Saint-Benoît-du-Lac
Fromage et cidre

Cabane à sucre Bellavance
733, rue Bellavance, Sainte-Cécile-de-Whitton
Produits de l'érable

Cabane à sucre Mégantic
3732, rang 10, Lac-Mégantic
Produits de l'érable

Cabane du Pic-Bois
1468, chemin Gaspé, Brigham
Produits de l'érable

Cidrerie du Minot
376, chemin Covey-Hill, Hemmingford
Crémant, *Minot Mousseux* et *Domaine du Minot*

Cidrerie Fleurs de Pommiers
1047, route 202, Dunham
Cidre, pommeau (visite guidée)

Clapier Paul et Suzanne Tétrault
45, route 216, Wotton
Tourtières, saucisses et roulés impériaux

Ferme La Généreuse
540, chemin Labonté, Lennoxville
Fruits, légumes (visite des animaux)

Ferme Mack enr.
124, route 108, Sainte-Marguerite-de-Lingwick
Confiture aux trois fruits, sirop d'érable 100 % pur

Ferme maraîchère Luc Beaulieu
3750, route 143, Lennoxville
Confitures, pain, pâtisseries, produits de l'érable

Framboisière Bellevue
4137, chemin North Hatley, Rock Forest
Gelée, confitures et coulis de framboise

Framboisière de l'Estrie
48, chemin Couture, Johnville
Vinaigre de framboise, sirop de framboise, etc.

Fromagerie l'Étoile inc.
169, rang 2, Saint-François-Xavier-de-Brompton
Fromage en grains et crème glacée

Fromagerie Proulx inc.
430, rue Principale, Saint-Georges-de-Windsor
Fromage en petit lait, cheddar (grains, bloc, meule)

Hydromelerie Les Saules
Route 112, Saxby Corner
Miel et produits de la ruche (visite guidée)

Jardin Fruitier
4521, rue Lotbinière, Rock Forest
Fraises, framboises, bleuets, mûres

La Ferme Martinette
1728, chemin Marineau, route rurale 6, Coaticook
Produits de l'érable, confitures (visite guidée)

La Pommalbonne
6291, route 147 Nord, Compton
Tarte aux pommes, pain de ménage

La Rose de Nel
1, chemin Talbot, Stoke
Gelée de rose (visite guidée)

Le Rucher Bernard Bee-Bec
152, rue Main, Stanstead (Beebe)
Hydromel, propolis, gelée royale (visite guidée)

Le Versant Rouge
576, rang 4 Est, Saint-Georges-de-Windsor,
Gelée, jus et beurre de pomme

Les Délices de l'Érable
53, chemin Moes River, Compton
Produits de l'érable

Les Miels Lambert
566, rue Gosselin, Wotton
Produits dérivés du miel

Cantons-de-l'Estrie

Les Moûts de P.O.M.
795, chemin Alfred-Desrochers, r. r. 2, Magog
Jus de pomme pétillant, gelée, beurre, etc.

L'herborerie
771, chemin Merrill, Georgeville
Confiture d'oignons, huiles, vinaigre aromatique

Maplery Neil Perkins
1825, chemin Robinson, Dunham
Vin de sirop d'érable, vin de la sève, *Ode Érable*

Micro-Brasserie Le Lion d'Or
2 et 6, rue College, Lennoxville
Bière maison (visite guidée)

Produits d'érable Cleary's
574, rue Notre-Dame Nord, Robertsonville
Produits de l'érable

Produits d'Érable Pur
30, chemin du rang 11, route rurale 1, Sawyerville
Caramel, beurre, chocolat au beurre d'érable

Terre Ferme
455, route Centrale Sud (route 161), Stratford
Légumes, viandes, produits transformés

Verger le Gros Pierre
107, rue Principale Nord, Compton
Jus de pomme, tartinade, gelée (visite guidée)

Verger R. M. Ferland
380, chemin de la Station, Compton
Pommes, poires, prunes (visite guidée)

Vignoble La Bauge
155, rue des Érables, Brigham
Vin, terrine de sanglier, confitures (visite guidée)

Vignoble Domaine de l'Ardennais
158, chemin Ridge, Stanbridge East
Vin rouge, vin blanc, terrine (visite guidée)

Vignoble Domaine des Côtes d'Ardoise
879, route 202, C.P. 339, Dunham
Vin apéritif (visite guidée)

Vignoble de l'Orpailleur
1086, route 202, Dunham
Vin blanc, sentier viticole (visite guidée)

Vignoble Le Cep d'Argent inc.
1257, chemin de la Rivière, Magog
L'Archer, *Le Mistral* et *Le Cep d'Argent*

Vignoble Les Arpents de Neige
4042, rue Principale, Dunham
Première Neige, *Rosée de printemps* (visite guidée)

Vignoble Les Blancs Coteaux
1046, route 202, Dunham
Cidre apéritif *Empire*, *Seyval blanc* et *La Taste*

Vignoble Les Trois Clochers
341, route 202, Dunham
Vin blanc, apéritif de fraise, gelée (visite guidée)

Vignoble Sous les Charmilles
3747, chemin Dunant, Rock Forest
Vin blanc (visite guidée)

Fermes éducatives

Centre de recherche agricole de Lennoxville
2000, route 108 Est, Lennoxville
Spécialisé en production laitière et porcine

Ferme du Centre d'initiative en agriculture
129, rue Morgan, Coaticook
Ferme laitière ouverte au public

Ferme de Promelles
752, chemin Chagnon, Coaticook
Visite éducative de la ferme laitière et gîte

Ferme Holmhurst
2523, chemin Holmes, Ayer's Cliff (Ways Mills)
Visite de la grange ronde et du troupeau Holstein

Ferme la Généreuse
540, chemin Labonté, Sand Hill
Visite d'une ferme de produits biologiques et séjour

Musées et interprétation

Centre d'interprétation des tracteurs antiques
207, rue Principale, Saint-Romain
Véhicules exposés datant de 1918 à 1958

Ferme Lune de Miel
252, rang 3 Est, Stoke
Centre d'interprétation de l'abeille

Le P'tit Bonheur de Saint-Camille
162, rue Miquelon, Saint-Camille
Centre d'interprétation du milieu rural

Le Musée Vivant du Lama
1333, chemin Jordan, Sutton
Activités éducatives et récréatives

Musée de Missisquoi
2, rue Rivière, Stanbridge East
Trois bâtiments d'époque

Musée du Chocolat
679, rue Shefford, Bromont
Artisan chocolatier

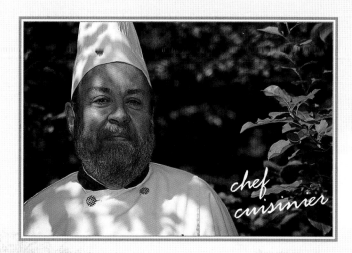

André-Paul Moreau

La cuisine québécoise, il en fait tout un plat !

André-Paul Moreau est formel : la cuisine québécoise vient d'accomplir un virage important au tournant des années 90, reflétant l'évolution de l'agriculture vers le produit régional innovateur. Il ne renie pas la tourtière du Lac-Saint-Jean ou la gibelotte soreloise, élaborées en fonction du climat et du mode de vie de ceux à qui elles étaient destinées ; mais il était grand temps que la cuisine québécoise s'interroge, s'autocritique et surtout se renouvelle. Le débat, à savoir s'il existait ou non une véritable cuisine québécoise, a duré 20 ans. La réponse est désormais connue et le mouvement est irréversible. Parole de Normand d'origine. « On ne peut pas faire l'indépendance agricole. On n'est pas encore assez peuplés. Il faut être forts quant à notre identité culinaire, qui sera unique au Québec et dans toute l'Amérique du Nord. »

La recette est toute simple : mettre le monde paysan de son côté. L'échange entre le paysan et le restaurateur est indispensable et la source première de nouveaux défis. Cuisiner, c'est donner le pouvoir à l'imagination. Résultat : la Route des Saveurs de Charlevoix ou les Tables de l'Est du Québec, des produits de belle qualité qui pourraient se retrouver sur toutes les tables du monde comme ambassadeurs de notre cuisine. Le chef en donne des exemples : *La cuvée du diable* de Ferme-Neuve, dont le sommelier François Chartier dit : « Je n'ai jamais bu un hydromel si parfait partout où je suis allé dans le monde », ou le *Charles-Aimé-Robert*, une liqueur à l'érable du Bas-Saint-Laurent.

André-Paul Moreau est président de la Corporation de la cuisine régionale du Québec.
« La fierté a bien meilleur goût. »

Charlevoix

Côte Saint-Jérôme à Baie-Saint-Paul.

Le relief accidenté et la vocation touristique de Charlevoix ne permettent pas une agriculture à grand déploiement. De Saint-Tite-des-Caps à Tadoussac, l'agriculture conserve peu d'emprise dans le paysage. L'activité agricole se concentre plutôt dans les vallées des rivières du Gouffre et Malbaie. Si la production laitière, les élevages bovin et porcin et la production de poulet y ont pignon sur rue, le nombre de producteurs agricoles est restreint, soit 234. Depuis 20 ans, la région a perdu près de 60 % de ses agriculteurs. Les terres difficiles sont retournées à petits pas vers la forêt ou prises d'assaut par la villégiature.

L'originalité n'en est pas moins au rendez-vous autour des municipalités de Saint-Irénée, Rivière-Malbaie, Île-aux-Coudres, Les Éboulements, Baie-Saint-Paul et Saint-Hilarion ; l'apparition de nouveaux élevages (sanglier, bison, autruche) semble une avenue intéressante, mais on désire pousser plus loin les possibilités de l'agriculture traditionnelle. Pour ce faire, des nouvelles formules, telle « la Route des Saveurs », résultat d'une alliance entre différents producteurs agricoles de la région et des établissements de restauration ; aussi, la visite de fermes échotouristiques et la découverte de produits qui collent à l'image de la région, comme le veau de Charlevoix, le *Migneron* ou l'escargot de Baie-Saint-Paul.

Produits fermiers

Al Dente enr.
1020, boul. Monseigneur-de-Laval, Baie-Saint-Paul
Fabrique de pâtes fraîches (visite guidée)

Ferme d'élevage de sangliers
35, route 138, Saint-Aimé-des-Lacs
Produits dérivés du bison, du daim et du sanglier

La Maison d'Affinage Maurice Dufour
1339, boul. Monseigneur-de-Laval, Baie-Saint-Paul
Le Migneron de Charlevoix (visite guidée)

Réserve Charlevoisienne des Cervidés
Rue Principale, Saint-Aimé-des-Lacs
Produits dérivés du daim

La Vallée des Cervidés
394, chemin des Loisirs, Rivière-Malbaie
Produits dérivés du cerf de Virginie

Le Veau de Charlevoix
4, rue Desbiens, Clermont
Veau de lait, de grain, charcuterie (visite guidée)

Les Élevages du Marais
131, rang Saint-Jean-Baptiste, Sainte-Agnès
Viande et huile d'émeu

Les Gommes de Sapin du Québec
134, rue Saint-Jean-Baptiste, Baie-Saint-Paul
Gommes de sapin

Les Jardins du Centre
91, rang Centre, Les Éboulements
Production et transformation de la gourgane

Les Serres Lacoste
3, rang Saint-Pierre, Les Éboulements
Concombres et tomates (visite guidée)

Moulin Seigneurial des Éboulements
157, rue Principale, Les Éboulements
Mouture du blé et du sarrasin

Pépinière et Vergers Pednault et Frères
45, rue Royale Est, Saint-Bernard, Île-aux-Coudres
Produits de la pomme, de la prune et du miel

Sucrerie Herman Bouchard
468, rue Principale, Petite-Rivière-Saint-François
Sirop, beurre, sucre et tire d'érable (visite guidée)

Fermes éducatives

Ferme Alibri
122, rang Saint-Ours, Baie-Saint-Paul
Ferme échotouristique, production laitière

Ferme Rosaire Lavoie
363, rang 4, Saint-Hilarion
Ferme échotouristique, production avicole

Ferme Éboulmontaise
350, rang Saint-Godefroy, Les Éboulements
Ferme échotouristique, ovine et maraîchère

Ferme La Marre inc.
1085, boul. Monseigneur-de-Laval, Baie-Saint-Paul
Ferme échotouristique, production laitière

Ferme Séva
43, rang Sainte-Marie, Les Éboulements
Ferme échotouristique, production laitière

Les Écuries La Rémie
1400, boul. Monseigneur-de-Laval, Baie-Saint-Paul
Ferme échotouristique, élevage des chevaux

Musées et interprétation

Boulangerie le Temps d'un pain
674, chemin du Golf, La Malbaie
Centre d'interprétation du pain

Laiterie de Charlevoix
1151, route 138, Baie-Saint-Paul
Économusée du fromage

Les Moulins de l'Île-aux-Coudres
247, chemin du Moulin,
Saint-Louis-de-l'Île-aux-Coudres
Économusée de la farine

Chaudière-Appalaches

Route Cyrille-Giguère à Saint-Joseph-de-Beauce.

$\mathcal{D}$es versants valonnés de la rivière Chaudière, au pied desquels des villages importants ont pris place (Sainte-Marie, Saint-Joseph-de-Beauce), jusqu'aux plateaux de la Haute-Beauce et aux routes montagneuses des Appalaches, l'agriculture affirme ses multiples contrastes. Grande productrice de lait (troisième région au Québec) notamment avec les belles fermes laitières de Honfleur, de L'Islet, de Lotbinière et de la Beauce, la région se tourne vers le porc (deuxième au Québec) à mesure que l'on quitte la bande riveraine du fleuve. Les municipalités de Saint-Bernard, Saint-Narcisse-de-Beaurivage et Saint-Patrice-de-Beaurivage logent les plus importantes fermes porcines. L'élevage des bœufs de boucherie se localise sur le haut de Bellechasse (corridor Armagh – Lac-Etchemin). La région est un peu la capitale de l'œuf : on y produit 12 millions d'œufs de consommation (Sainte-Claire) et près de la moitié des œufs d'incubation consommés au Québec (Scott).

La région profite de l'esprit d'entreprise reconnu de ses habitants. Récemment, plusieurs agriculteurs (Pintendre, Saint-Honoré, Saint-Anselme) ont entrepris la production de canola, fortement prisé pour son huile. On construira sous peu une usine d'extraction. Sur les sommets arrondis des Appalaches, les érablières fournissent près de la moitié de la production du Québec. Les cabanes à sucre se comptent par centaines ; de la cabane à sucre traditionnelle à celle de la famille Napert de Saint-Sylvestre qui peut accueillir 430 personnes, toute une évolution. Au total, plus de 4000 fermes, entre le Saint-Laurent et la frontière américaine, donnent un visage moderne de l'agriculture. Des productions marginales souvent ancestrales se perpétuent : la framboise de Bellechasse a donné naissance au *Ricaneux*, les vergers de Cap-Saint-Ignace fleurissent les flancs de collines au printemps, et la production d'orge alimente la brasserie Schoune, etc.

♠   ♠

Produits fermiers

Cabane à sucre du Père Normand
447, rang Montgomery, Saint-Sylvestre
Produits de l'érable

Cidrerie et Vergers Saint-Nicolas
2068, route Marie-Victorin, Saint-Nicolas
Cidres, confitures, gelée

Clapier Dorémi
207, rue du Foyer, Saint-Pamphile
Lapin en coupes variées

Domaine Pellemond
246, chemin des Pionniers Ouest, L'Islet-sur-Mer
Produits dérivés du miel

Érablière Brie
342, chemin des Érables Est, Cap-Saint-Ignace
Produits de l'érable

Érablière Gérard Lessard
1024, chemin Grande Grillade, Saint-Henri
Produits de l'érable

Érablière du Bois-Joli
896, route de l'Église, Saint-Jean-Port-Joli
Produits de l'érable

Érablière Réal Bruneau
830, route Campagna, Saint-Henri
Produits de l'érable

Ferme érablière Franco
291, rue Trait-Carré Ouest, Saint-Henri
Produits de l'érable

Ferme Genest
2091, route Marie-Victorin, Saint-Nicolas
Gelée, confitures, citrouilles, pain, etc.

Ferme Sainte-Thérèse
314, chemin Lamartine Ouest, Saint-Eugène
Produits biologiques

Fruits et légumes R.G.
29, rue Lamartine Est, Saint-Eugène
Marinades et confitures

Hydromel de la Fée
250, rang Saint-Édouard, Saint-Philibert
Vin de miel sec et fruité (visite guidée)

La Cabane à Pierre
566, rang 2, Saint-Édouard-de-Frampton
Produits de l'érable

L'Autrucherie du Saint-Laurent
57, rue de Gaspé Ouest, Saint-Jean-Port-Joli
Produits dérivés de l'autruche

La maison du Ricaneux
5540, rang Sud-Est, Saint-Charles
Le Ricaneux, sirop de framboise, gelée de fraise

La Miellerie du musée de l'Abeille
30, rue Vézina, Saint-Joseph-de-la-Pointe-de-Lévy
Hydromel, miel, confiseries (visite guidée)

La Pomme du Saint-Laurent
492, chemin Bellevue Ouest, Cap-Saint-Ignace
Gelée de pomme et jus de pomme

La Pommeraie des Couillard
560, chemin Bellevue Ouest, Cap-Saint-Ignace
Produits dérivés de la pomme

La Pralinière
105, route 277, Sainte-Germaine-Station
Chocolat fin (visite guidée)

Le Royaume du Sanglier
110, rue Elgin Sud, Saint-Pamphile
Viande de sanglier en coupes variées

Les Entreprises Prince et Leclerc
239, rue Haut-de-la-Paroisse, Saint-Agapit
Hydromel, miel, pollen, propolis, etc.

Les moutons de Panurge
172, rang 2 Est, Saint-Jean-Port-Joli
Viande d'agneau en coupes variées

Les Vergers du Cap
389, chemin Bellevue Ouest, Cap-Saint-Ignace
Produits de la pomme

Les Ruchers des Aulnaies
100, route Elgin, Sainte-Louise
Produits dérivés du miel

Michel Lebel
1035, de la Seigneurie, Saint-Roch-des-Aulnaies
Produits dérivés du miel

Ostrich Ranch Autruche Beauce-Appalaches
132, rang Saint-Jacques, Saint-Anselme
Produits dérivés de l'autruche (visite guidée)

Produits Thérèse Pelletier
270, rue de la Seigneurie, Saint-Roch-des-Aulnaies
Marinades et confitures

Vignoble Angile
267, 2ᵉ rang Ouest, Saint-Michel
Vin blanc et rouge, apéritifs (fraise et framboise)

Fermes éducatives

Centre agronomique de Sainte-Croix
6600, rue Marie-Victorin, Sainte-Croix
Initiation aux nouvelles technologies

Ferme Joseph Rhéaume inc.
6870, rue Marie-Victorin, Sainte-Croix
Recherche sur les fruits et légumes

Ferme Jouvence enr.
36, rang 4, Saint-Adalbert
Camp de vacances pour les jeunes en saison estivale

Ferme Claude Dupont et Diane Bouchard
440, rang des Moreau, Saint-Pamphile
Vacances à la ferme laitière pour les jeunes

Ferme pédagogique Marichel
809, rang Bois-Franc, Sainte-Agathe
Activités animées, séjour à la semaine

La Maisonnette de Béatrice
182, chemin Bellevue Est, Cap-Saint-Ignace
Ferme laitière, activités diverses, séjour

Musées et interprétation

La Miellerie du Musée de l'Abeille
30, rue Vézina, Saint-Joseph-de-la-Pointe-de-Lévy,
Produits de la ruche

Centre d'interprétation du vin artisanal *Le Ricaneux*
5540, rang Sud-Est, Saint-Charles
Explication de la fabrication du vin

Musée des voitures à chevaux
293, route 132, Saint-Vallier
Plus de 65 voitures d'été et d'hiver

Musée Marius-Barbeau
139, rue Sainte-Christine, Saint-Joseph-de-Beauce
Exposition sur l'acériculture

Gilles Michaud

Les mémoires de l'agriculture

À 42 ans, Gilles Michaud, producteur laitier, a donné corps à la tradition en ouvrant en 1996 le musée agricole Le Fournil à Kamouraska. Deux étages d'instruments aratoires anciens y sont rescapés de l'oubli. Un patrimoine orphelin adopté par une famille accueillante. L'ingéniosité des ancêtres mais aussi celle de Gilles Michaud et de sa famille. Le mot *tradition* le fait accourir pour ramasser de vieux instruments aratoires égarés sur les digues de Kamouraska ou partis à la dérive, parole d'encanteur. Le musée Le Fournil, c'est aussi le désir d'affirmer les générations de Michaud qui se succèdent sur la terre paternelle ; de montrer comment l'agriculture est vitale à Kamouraska et à son paysage. En un mot : « Le désir de respecter le passé et la tradition si bafouée dans nos campagnes », dit-il. Pour preuve, entre ses mains, ce vieux tracteur *Cockshutt*, légendaire parce que le premier à rouler sur les terres de Kamouraska. Tout cela à l'enseigne du bénévolat.

La préservation de notre patrimoine agricole fait douloureusement défaut au Québec. Quelques initiatives récentes donnent espoir : le musée agricole René-Bertrand de l'Acadie, le musée des voitures à chevaux de Saint-Vallier ou le musée Robert-Lionel-Séguin de Trois-Rivières. Il existe aussi une Association provinciale du patrimoine agricole. Le musée du Fournil, la passion d'un homme et d'une famille à la rescousse du patrimoine agricole.

Côte-Nord

Musées et interprétation

Domaine de nos ancêtres
285, route 172, Sacré-Cœur
Maison de fermier et instruments agricoles

Route 172 à Sacré-Cœur.

𝒫 ays immense où se côtoient l'aspect sauvage d'une région et la douceur de sa bande riveraine du Saint-Laurent, la Côte-Nord contribue à fournir à la population du Québec des produits agroalimentaires frais. Bien que limitée par différentes contraintes, tels le climat et la disponibilité des sols, l'agriculture y est diversifiée et a essaimé en petits îlots le long de la côte, de Tadoussac à Sept-Îles. C'est dans l'axe Grandes-Bergeronnes – Sacré-Cœur que l'on dénombre le plus grand nombre d'agriculteurs et les fermes les plus productives. Du côté des productions animales, l'agriculture de la Côte-Nord repose sur une vingtaine d'éleveurs de bovins de boucherie, cinq producteurs laitiers, trois producteurs ovins, et un seul de porc. À Baie-Comeau, on retrouve des producteurs de chevaux, des éleveurs de grands gibiers et des piscicultures. Autrement, on se tourne vers la production de petits fruits ou la culture hydroponique. La culture du bleuet, répandue sur 1700 acres de terre entre Sacré-Cœur et Gallix, semble prometteuse avec un potentiel de 10 000 acres dans la région de Forestville. À Saint-Paul-du-Nord, on a développé une atocatière ; l'autocueillette de fraises et de framboises fait aussi partie des activités saisonnières. Quelques producteurs pratiquent la culture hydroponique de tomates, de concombres et de laitues (Sept-Îles).

La pomme de terre de semence a été longtemps l'objet des préoccupations des chercheurs de la Station de recherche provinciale Les Buissons, non loin de Chute-aux-Outardes, qui a mis au point plusieurs nouvelles variétés qui ont servi à l'ensemble des producteurs du Québec. Toutefois, on ne retrouve qu'un seul producteur de pomme de terre, à Pointe-Lebel. Un projet d'exploitation de ce légume sur une superficie de 400 acres devrait voir le jour sous peu à Moisie. Deux produits régionaux fort réputés, *L'airelle du Nord* et *La chicoutai* de Natashquan, sont mis en bouteille à la SAQ. Les petits fruits font l'objet de recherches particulières et devraient contribuer fortement au développement bioalimentaire de la région avec le bleuet et la canneberge.

Produits fermiers

Au Cœur de la Framboisière
273, boul. Pabos, Pabos
Confitures

Bergerie du Margot
356, chemin Thivierge, Bonaventure
Agneaux

Cerfs Roux de l'Est
503, route 132 Ouest, Saint-Moïse
Produits fermiers (visite guidée)

Conserverie de la Baie
Rang 4, New-Richmond
Confitures, gelées de fruits, ketchup

Fromagerie Pied de Vent
Îles-de-la-Madeleine
Cheddar, fromage de type reblochon

La Ferme Chimo
1705, boul. Douglas, Douglastown
Fromage et yogourt de chèvre

Les Miels de la Baie
1059, Dimock Creek, Maria
Produits de l'abeille certifiés biologiques

Ranch G.Y.M.
331, boul. Renard Est, Rivière-au-Renard
Produits du sanglier et du daim, charcuterie
(visite guidée)

Musées et interprétation

Le Royaume du Volatile
270, chemin de la Rivière, Baie-des-Chaleurs
Centre d'interprétation

Baie de Gaspé.

Si à une certaine époque l'agriculture se greffait aux activités de pêche ou de forêt en Gaspésie, cette dualité semble aujourd'hui presque inexistante. Avec 80 % de son territoire en forêt et 800 kilomètres de côte, l'agriculture s'est marginalisée. Les statistiques sont éloquentes : depuis 25 ans, 71 % des fermes agricoles ont disparu. Il en reste à peine 300 en activité. Dans la péninsule gaspésienne, plus particulièrement dans le secteur de la baie des Chaleurs, l'agriculture a trouvé sa véritable terre d'accueil. L'activité, bien que modeste, gravite autour de la production laitière, qui tend toutefois à régresser (Saint-Omer, vallée de la Matapédia), de l'élevage bovin, qui regroupe plus de 70 % des producteurs, et de l'élevage ovin, qui se densifie dans le secteur Cap-Chat – Sainte-Anne-des-Monts et baie des chaleurs. L'horticulture gravite surtout autour de la pomme de terre (Bonaventure), du navet et de quelques autres légumes.

L'absence d'abattoir régional nuit considérablement à l'expansion de l'activité agricole gaspésienne. De même, l'absence de porcherie est liée directement à l'impossibilité de produire du maïs-grain pour l'alimentation des bêtes. Le portrait des Îles-de-la-Madeleine se calque assez bien sur celui de la Gaspésie avec une quarantaine d'entreprises dont les deux tiers sont tournées vers l'élevage bovin ; l'agriculture des Îles doit lutter contre des sols acides, peu fertiles, et des prairies sensibles à l'érosion. Autrement, l'agriculture s'associe aux produits régionaux qui sont désormais bien identifiés « Au bon goût frais de la Gaspésie » ou « Au bon goût frais des Îles ». Signe des temps, on retrouve un vignoble à New-Richmond.

Lanaudière

Route 125 à Saint-Lin.

*S'*étendant sur plusieurs kilomètres à partir du Saint-Laurent, la plaine lanaudoise se voue entièrement à l'agriculture, à l'exception d'un noyau plus urbain à son extrémité sud (Mascouche, Terrebonne, Repentigny). Au-delà, c'est le piémont laurentien, tourné vers la villégiature avec ses nombreux lacs. Plus au nord encore, la forêt s'agrippe au piedmont. Les îlots boisés éparpillés dans la plaine lanaudoise permettent l'activité acéricole ; c'est plus d'un demi-million d'érables que les 400 producteurs de sirop entaillent annuellement, répartis dans les érablières de Saint-Esprit, Sainte-Julienne, Saint-Alexis et Saint-Jacques. La plaine de Lanaudière est le caveau à légumes de Montréal.

Traditionnellement terre de betterave, de panet, de rhubarbe, de rutabaga (premier rang au Québec), cultures associées à la MRC Montcalm, elle est fort reconnue pour ses carottes et ses choux-fleurs (Saint-Roch, Saint-Lin, Ville des Laurentides), sa pomme de terre et ses asperges. La culture du tabac, après des années de prospérité, y est en régression constante ; on dénombre moins de 70 fermes tabacoles réparties dans les municipalités de Lanoraie-d'Autray, Saint-Thomas, Sainte-Mélanie, etc. La production de lait, répandue surtout dans la région de Berthier, vient derrière celle de viande de porc (Saint-Roch-de-l'Achigan, Saint-Esprit, etc.) et de volaille (Saint-Félix-de-Valois). L'agriculture de Lanaudière montre aussi plusieurs signes de diversification — production bovine, céréalière et ovine — mais dans une proportion nettement moindre. Depuis une dizaine d'années, la production de fromages fermiers locaux, de boissons artisanales et de gelée de fraise ouvre des avenues intéressantes à l'agrotourisme.

Produits fermiers

Bergerie des Neiges
1401, rang 5, Saint-Ambroise-de-Kildare
Agneau de grain

Chèvrerie les 3 Clochettes
840, rue Rivière-Sud, Saint-Roch-de-l'Achigan
Fromage de chèvre

Ferme Beau-Jour inc.
1310, rang Montcalm, Saint-Liguori
Poulet de grain

Ferme Excel
4760, rang Sainte-Rose, Notre-Dame-de-Lourdes
Terrine de sanglier (visite guidée)

Ferme Guy Rivest
1305, chemin Laliberté, Rawdon
Boisson de fraise *La Libertine* et autocueillette

Ferme Valrémi
3271, Petit Rang Sainte-Catherine, Saint-Cuthbert
Boisson de sirop d'érable *Douceur des Bois*

Friand-Érable Lanaudière
189, rang Guillaume Tell, Saint-Jean-de-Matha
Boisson à base de sirop d'érable et autres produits

Fromagerie du Champ à la Meule
3601, rue Principale, Notre-Dame-de-Lourdes
Fromage de vache au lait cru (visite guidée)

La Ferme du Gaulois
811, chemin Archambault, Crabtree
Produits du sanglier (visite guidée)

L'Arôme des Bois
3285, 1re avenue, bureau 103, Rawdon
Ketchup aux «têtes de violon», moutarde forte

La Sucrerie des Aïeux
3997, chemin Kildare, Rawdon
Chocolats fourrés, sucre d'érable granulé

Le Loup dans la Bergerie
2380, rang Saint-Pierre, Sainte-Élisabeth
Produits fermiers ovins (visite guidée)

Les Produits La Tradition
337, lac Ducharme, Sainte-Marcelline-de-Kildare
Vinaigres de bière balsamique, cerises, pommes

Vinerie du Kildare
3997, chemin Kildare, Rawdon
Boisson alcoolique *Esprit d'Érable*

Fermes éducatives

Le Jardin de la Passion Labri
2590, route 341 Nord, Saint-Jacques
Jardin avec vivaces, annuelles et rosiers

Les Jardins de la Sagi-Terre
80, rang Saint-Augustin, Saint-Charles-de-Mandeville
Plantes ornementales et potagères

Les Jardins du Grand-Portage
800, chemin du Portage, Saint-Didace
Fleurs, fruits et légumes

Les Jardins Moore
1455, chemin Pincourt, Mascouche
Parc floral de cinq acres

Laurentides

Rang Saint-Hyacinthe à Saint-Hermas.

*L*e territoire des Laurentides est composé de deux unités morphologiques distinctes, soit les basses terres du Saint-Laurent où l'activité agricole principale va se déployer (Mirabel, Lachute) et le Bouclier canadien, associé aux Hautes Laurentides. Dans ce dernier cas, à l'exception du secteur de Mont-Laurier, la vocation traditionnelle de villégiature des lieux donne une physionomie particulière à la plupart des exploitations agricoles sises entre Saint-Sauveur et Mont-Tremblant. Ce sont plutôt de petites fermes à faible étendue, caractérisées par la diversification des productions et dont bon nombre de produits (fromages, légumes, pain, yogourt, fruits, confitures, agneau, lapin, etc.) sont vendus directement aux consommateurs ; leurs propriétaires y travaillent souvent à temps partiel. L'agriculture des Basses Laurentides au contraire offre l'image d'une agriculture spécialisée. La proximité du bassin de population de la grande région de Montréal, la fertilité des sols et une topographie favorable ont contribué à cette spécialisation.

L'horticulture y occupe le premier rang : la production de tomate, de concombre, de laitue en serre est une activité fort importante dans le secteur de Mirabel – Deux-Montagnes ; à Mirabel, on retrouve le plus grand complexe agroalimentaire en Amérique du Nord, spécialisé dans la culture hydroponique de la laitue. La production de légumes en plein air demeure une activité répandue dans le secteur d'Oka, Saint-Eustache et Saint-Joseph-du-Lac. Dans ces municipalités, la pomoculture a son royaume : bon nombre des 196 pomiculteurs recensés profitent des quelques collines sautillantes des Basses Laurentides pour y implanter leurs vergers. L'horticulture ornementale va trouver pignon sur rue surtout dans le secteur Mirabel–Deux-Montagnes, partagé avec la production laitièrc, la deuxième en importance. Puis, comme pour dessiner un trait d'union entre l'agriculture traditionnelle et l'agrotourisme, entre les Basses et les Hautes Laurentides, la production acéricole répandue partout sur le territoire. Mais l'agrotourisme n'en reste pas là avec les producteurs de miel (Saint-Benoît et Sainte-Scholastique) ou ceux qui ont opté pour les nouveaux élevages (sanglier, bison, autruche et cervidés) (Mille-Isles, Lachute, Saint-André-Est).

Produits fermiers

Abbaye Cistercienne (Trappe d'Oka)
1600, chemin Oka, Oka
Chocolat, jus, fromages, compotes, etc.

À l'ombre d'un jardin inc.
1289, chemin Oka, Oka
Pomme, sirop d'érable, jus (visite guidée)

Aspergeraie Pierre Dumoulin
770, route 309, Saint-Aimé-du-Lac-des-Îles
Asperge blanche (visite guidée)

Au Jardin rustique
181, 22ᵉ avenue, Ferme-Neuve
Betterave, carotte, concombre (visite guidée)

Au Pays des Fraises
15728, rue Saint-Jean,
Sainte-Monique-des-Deux-Montagnes
Tartes et gelée de fraise

Ferme Grand Duc
165, chemin Saint-Jérusalem, Lachute
Viande de bison

Bergerie du Mouton noir
2120, chemin Brunet, Sainte-Agathe-Sud
Agneau (visite guidée)

Cabane à sucre Constantin
1054, boul. Sauvé, Saint-Eustache
Ketchup aux fruits, ketchup vert, tarte au sucre

Cabane à sucre Jean Renaud
1034, route 148, Saint-Eustache
Produits de l'érable (visite guidée)

Cabane à sucre Millette
1357, rang Saint-Faustin, Saint-Faustin
Produits de l'érable (vidéo, visite éducative)

Des beaux paysages
205, rue Saint-Ignace, Lac-Nominingue
Légumes de jardin et de serre

Érablière Jean Labelle
755, rue Dubois, Saint-Eustache
Produits de l'érable (visite guidée)

Ferme Apicole Desrochers
113, rang 2, Ferme-Neuve
Vin de miel, boisson de miel et de framboises, etc.

Ferme des Hêtres
885, Coteau-des-Hêtres, Lachute
Citrouille, courge, pomme (visite guidée)

Ferme des Pignons rouges
4574, chemin du Moulin, Labelle
Ail, carotte, cerise (visite guidée)

Ferme du Chevrier S. L. enr.
3986, chemin Laurin, Saint-Hermas
Lait, yogourt, fromage de lait de chèvre

Ferme Galord
2408, des Glaïeuls, La Conception
Melon, courge, cantaloup (visite guidée)

Ferme Glenna Poitras
551, rue Saint-Jean, Lachute
Poulet et dinde de grain

Ferme Matthews
3300, route 327, Lachute
Miel et produits dérivés

Fraisière J. Gauthier
156, chemin des Pionniers, Lac-Saint-Paul
Boisson alcoolisée de fraises *Le doux secret*

Fromagerie Belchèvre inc.
239, rang Saint-Jean, Saint-Placide
Fromage, yogourt pressé, feta aromatisée

Jude-Pomme
223, rang Sainte-Sophie, Oka
Produits dérivés (pomme, poire, prune)

La Chèvre Douce
239, rang Saint-Jean, Saint-Placide
Produits de la chèvre

La Clairière de la Côte
16, chemin Laliberté, L'Annonciation
Légumes, lapin, chèvre (visite guidée)

La ferme Catherine
2045, route 344, Saint-André-Est
Viande de bison (visite guidée)

La Ferme de la Butte Magique
1724, chemin Paquette, Saint-Faustin
Fromage de brebis

La Ferme Saturnin
55, route 117, Saint-Jovite
Poulet, faisan, lapin (visite guidée)

Les Fermes J.G. Lavallée
743, Rivière Nord, Saint-Eustache
Chou de Bruxelles, pomme (visite guidée)

Le Magasin de l'Abbaye
1600, chemin Oka, Oka
Fromage, miel, chocolat

Le Moulin Légaré
232, rue Saint-Eustache, Saint-Eustache
Farine de sarrasin et de blé

Le Verger Lamarche
175, montée du Village, Saint-Joseph-du-Lac
Cidre fort *Cuvée de la Montée*

Les Vergers Lafrance
1473, rue Principale, Saint-Joseph-du-Lac
Gelée, tartes, beignes, jus de pomme

Miramiel
10351, Saint-Vincent, Sainte-Scholastique
Gelée royale, hydromel, vinaigre de vin de miel

Moniales Bénédictines
300, boul. Paquette, Mont-Laurier
Caramel au lait de chèvre

Sucrerie à l'Orée du bois
11381, rue La Fresnière, Saint-Benoît
Bonbons à l'érable, beurre, gelée au sirop d'érable

Verger d'Ève
1308, rang du Domaine, Saint-Joseph-du-Lac
Pomme, prune, framboise (visite guidée)

Verger du Parc
4354, chemin Oka, Saint-Joseph-du-Lac
Cidre, 20 différents vinaigres, 30 sortes de confitures

Vergers Saint-Sulpice
576, rang de l'Annonciation, Oka
Jus de pomme naturel

Vignoble des Négondos
7100, rang Saint-Vincent, Saint-Benoît
Vin rouge et vin blanc

 **Fermes
éducatives**

HydroSerre Mirabel inc.
9200, des Voyaux, Saint-Augustin
Laitue hydroponique

La Maison de Ferme
55, montée Ruisseau McKay, Notre-Dame-du-Laus
Participation aux travaux de la ferme, hébergement

 **Musées et
interprétation**

Émeus CEE inc.
2400, rue Sir-Wilfrid-Laurier, Saint-Canut
Centre d'interprétation (émeu, autruche et nandou)

Ferme Bonniebrook
40, montée de l'Église, Mille-Isles
Centre d'interprétation (émeu, autruche et nandou)

Intermiel
10291, rang La Fresnière, Saint-Benoît
Boisson alcoolisée *Jardins mellifères*

Micro-brasserie Saint-Arnould
435, rue Paquette, Saint-Jovite
Musée de la bière

Sylvie Plamondon

La piqûre des bêtes !

Le rang Kildare s'étire d'est en ouest. De part et d'autre, des fermes laitières arrimées à des terres fertiles. Un bâtiment fait exception dans ce paysage de lait : c'est « la clinique des petites filles » comme le qualifient des producteurs de Saint-Ambroise-de-Kildare pour parler du bureau vétérinaire. Sylvie Plamondon est l'une d'elles. Depuis 6 ans, elle sillonne la région, 60 000 km par année, pour répondre aux urgences, faire de la prévention, etc. On reconnaît sa Toyota qui circule toujours au-delà de la vitesse permise, comme à peu près tous les véhicules de vétérinaire.

Sylvie Plamondon incarne cette nouvelle génération de vétérinaires féminins qui, au tournant des années 80, ont troqué la clientèle des minets et des chiots urbains pour celle des animaux de ferme. Pour être vétérinaire, un cours de quatre ans à la seule école de médecine vétérinaire du Québec, soit celle de Saint-Hyacinthe, ouverte en 1947 et inscrite dans la lignée du premier collège vétérinaire, fondé par l'Université McGill en 1866. On y reçoit une formation scientifique et on y apprend à être éducateur, gestionnaire et parfois même confident. Pour pratiquer leur profession, désormais les vétérinaires se regroupent et tout le monde en tire profit : une meilleure qualité de vie qui assure des répits de fin de semaine ; l'occasion d'acquérir du matériel médical plus sophistiqué pour mieux assister les bêtes ; la possibilité d'échanger entre gens d'une même profession.

La journée est finie. Peut-être pas ! Au printemps surtout, la saison des vêlages, la journée ne compte plus ses heures et s'étire jusqu'à la dernière sonnerie du téléphone. « La clinique des petites filles » s'illumine alors jusque tard dans la nuit pour le mieux-être des bêtes et des agriculteurs.

Laval – Montréal

Boulevard des Mille-Îles à Saint-François-de-Sales, Laval.

Connue sous le nom de « capitale horticole du Québec », l'île de Laval, souvent perçue uniquement comme une zone urbaine, consacre 155 kilomètres carrés à l'agriculture et regroupe environ 206 producteurs. Sur le plan spatial, on peut repérer deux noyaux importants de production : ceux de Sainte-Dorothée (55 producteurs) et d'Auteuil (49 producteurs). Historiquement, Sainte-Dorothée est à l'origine de la production florale en serre à des fins commerciales au Québec ; dès 1930, on y retrouvait les pionniers de la culture ornementale. Plus à l'est de l'île, l'avenue des Perron voit s'étaler le noyau agricole le plus élaboré. Les anciennes municipalités de Sainte-Rose, Fabreville, Saint-François-de-Sales, Chomedey et Duvernay complètent ce paysage.

L'agriculture lavalloise est essentiellement horticole, pour moitié légumière, le solde appartenant aux productions de l'horticulture ornementale. Pour ce qui est de la superficie cultivée, ce sont le maïs sucré (750 hectares), le brocoli (320 hectares), le chou (260 hectares), le piment (106 hectares) et le haricot, la tomate, la laitue et le concombre qui occupent les producteurs. La pomme et le cantaloup sont les deux vedettes de la production fruitière, qui est 10 fois moins importante. Pour sa part, la serriculture regroupe 159 entreprises spécialisées dans la production de caissettes de fleurs et de légumes, de plantes vertes, de plantes vivaces, de roses coupées, etc. La présence de la serriculture en zone quasi urbaine est à l'origine de plusieurs initiatives à caractère agrotouristique, notamment « la Route des Fleurs », qui pour souligner l'apport important de Sainte-Dorothée dans l'horticulture au Québec introduit à un Économusée de la fleur, de même que chez plusieurs producteurs dont les Serres Charbonneau, les Serres Sylvain Cléroux, les Roses de Laval, etc. Les productions animales font presque figure de parents pauvres sur l'île : les 25 producteurs qui s'y consacrent sont disséminés sur le territoire, élevant chevaux, bovins laitiers ou de boucherie, moutons et chèvres.

Montréal

La région de Montréal n'a pas une agriculture importante : on ne recense que 20 horticulteurs sur l'île de Montréal et 10 sur l'île Bizard. Elle est toutefois le principal pôle de l'industrie bioalimentaire du Québec : l'essentiel de la transformation et de la commercialisation des produits alimentaires passe ainsi par Montréal, où plus de 90 000 personnes voient leur emploi lié directement à ces activités : usines de fabrication de farine et de sucre, de multiproduits, de boissons alcoolisées, de boulangerie-pâtisserie, de surtransformation de viandes rouges, de mets préparés, d'additifs et d'assaisonnements alimentaires, etc. Les têtes de réseau des plus importantes chaînes alimentaires de détail de la province y sont présentes.

 Produits fermiers

La Maison des Futailles
1600, rue Parthenais, Montréal
Cassis de l'île d'Orléans, *Fine Sève, L'Apéro Saint-Benoît, La Chicoutai, Sortilège, L'Airelle du Nord, L'Amour en cage* et *Minaki*

Les Fermes Haut Panache
3621, rue Sainte-Famille, Montréal
Salami de chevreuil, bison fumé, saucisse de chevreuil avec porc et bleuets

Fromagerie du Vieux-Saint-François
4740, boul. des Mille-Îles, Laval
Fromage de chèvre frais affiné, cheddar, yogourt, lait

 Fermes éducatives

Fleurineau
1270, rue Principale, Sainte-Dorothée
Économusée de la fleur

Ferme du Campus McDonald
2111, chemin Lakeshore, Sainte-Anne-de-Bellevue
Ferme expérimentale axée sur la production laitière

Parc Angrignon
Boul. de la Vérendrye, La Salle
Parc de 107 hectares, ferme (activités diverses)

Mauricie

Rang Au Pied de la Côte à Maskinongé.

𝓑 ornée au sud par le fleuve Saint-Laurent, à l'ouest par Maskinongé, à l'est par Sainte-Anne-de-la-Pérade et au nord par le secteur de La Tuque, la région de la Mauricie est bien départagée entre forêt et agriculture. Cette dernière s'étend dans la plaine du Saint-Laurent pour céder graduellement le pas à l'économie forestière à la hauteur de Saint-Tite. Plus de 75 % des sols cultivables de la région sont classés A. Le sol classé A est jugé de meilleure qualité compte tenu de la composition organique qui en fait une terre forte et argileuse propice à la culture. Au total, une trentaine de municipalités voient leur économie fonctionner grâce aux activités agricoles variées. En tête de liste, un peu moins de 600 établissements de production laitière dans le secteur de Maskinongé et la bande riveraine comprise entre Champlain et Sainte-Anne-de-la-Pérade, de même que dans la vallée de la Batiscan.

Profitant d'un climat qui favorise la culture du maïs-grain, la production porcine regroupe plus de 80 producteurs spécialisés à Saint-Paulin et à Yamachiche. Les cultures commerciales intensives (maïs, grain, soya, canola) permettent à certains producteurs d'exporter leurs surplus. La production de poulet à griller se retrouve à Saint-Boniface-de-Shawinigan, Louiseville et Saint-Étienne-des-Grès. La ressource forestière bien présente fait souvent de l'agriculture une occupation à temps partiel. En contrepartie, elle a donné naissance à plusieurs érablières dans les municipalités de Saint-Prosper, Saint-Stanislas, Sainte-Thècle, Saint-Tite, point d'arrêt à la plaine du Saint-Laurent.

La présence de plusieurs noyaux urbains (Trois-Rivières, Shawinigan, Louiseville, etc.) a favorisé l'apparition d'une quarantaine de fermes maraîchères qui assiègent les zones urbaines et se spécialisent dans la vente de légumes frais. Parmi les particularités locales, la culture du sarrasin à Louiseville, celle de la fève de couleur dans Maskinongé, de même que l'asperge de Saint-Étienne-des-Grès.

Produits fermiers

Érablière Lampron
190, rang Petit, Saint-Étienne-des-Grès
Produits de l'érable (visite guidée)

Érablière Michel Dupuis
1, rue Beauséjour, Maskinongé
Produits de l'érable

Ferme Caron
1096, rue Saint-Jean Ouest, Saint-Louis-de-France
Fromage de chèvre

Ferme La Bisonnière
490, rang Sainte-Élisabeth, Saint-Prosper
Produits dérivés du bison (visite guidée)

Ferme l'Oasis
1137, rue Notre-Dame, Champlain
Confitures, framboises, produits de la chèvre

Les Autruches de la Mauricie S.E.N.C.
179, rue Pied-de-la-Côte, Maskinongé
Viande d'autruche

Les Jardins H. Dugré et Fils inc.
3861, rang Saint-Charles, Pointe-du-Lac
Produits de l'érable et laitiers, pomme, miel

Fermes éducatives

Ferme Apicole Huot
1560, boul. Saint-Jean Est, Saint-Louis-de-France
Visite, vidéo, biologie et vente de produits

Villa des Abeilles enr.
1440, rue Principale, Sainte-Ursule
Diaporama, vidéo, dégustation

Gîte de la Seigneurie
480, chemin du Golf, Louiseville
Jardins anciens sur le site d'une ferme traditionnelle

Musées et interprétation

Musée des arts et traditions populaires du Québec
200, rue Laviolette, Trois-Rivières
Collection Séguin (outillage agricole et bâtiment)

Centre d'interprétation de l'érable de Saint-Prosper
1020, ch. Massicotte, Saint-Prosper
Exposition sur l'acériculture

Montérégie

Rang Saint-Jean-Baptiste à Sainte-Madeleine.

*D*ans cette région agricole la plus importante et la plus diversifiée du Québec, on recense plus de 8 500 fermes. Les honneurs ne s'arrêtent pas là : la Montérégie est la première région productrice du Québec pour le lait (Saint-Armand-Ouest, Huntingdon), le porc (Saint-Valérien-de-Milton), la volaille (Sainte-Rosalie), le bovin et le bouvillon d'abattage (Rainville), les veaux de grain et de lait (Saint-André-d'Acton), les œufs de consommation (Saint-Bernard-de-Michaudville), la production de céréales (monoculture maïs-grain) et d'oléagineux (Saint-Chrysostome, Howick), la production de légumes, de fruits et autres produits horticoles, concentrés davantage dans la partie ouest de la Montérégie ; dans le secteur de Saint-Patrice-de-Sherrington, la culture maraîchère est prospère. Dans tous ces cas, la Montérégie fournit plus de 40 % de la production totale québécoise.

Pour expliquer une telle performance, quatre facteurs importants : d'abord le relief défini par la plaine des basses terres du Saint-Laurent qui occupe la majeure partie du territoire. La Montérégie est une immense plaine regroupant les vallées de la Richelieu, de la Yamaska et de la Châteauguay ainsi que le secteur de Vaudreuil-Soulanges. Seules exceptions à ce paysage de plaine, les monts Saint-Hilaire, Rougemont, Saint-Grégoire et Yamaska ainsi que l'extrême pointe sud, où les Appalaches signalent leur présence. Encore faut-il nuancer puisque l'agriculture a aussi pris d'assaut la montagne : la pomoculture, l'acériculture profitent des flancs adoucis de ces monts. En second lieu, la qualité des sols, qui comptent parmi les plus fertiles au Québec, autorisant une agriculture à la fois intensive et diversifiée. Puis le climat, qui fait bénéficier la région des meilleures conditions climatiques prévalant dans le Québec méridional ; enfin, la proximité du marché dc Montréal et la vitalité de plusieurs noyaux urbains périphériques. À côté de cette agriculture à grand déploiement, des productions marginales ont pris un bel essor, bénéficiant de l'achalandage de la population de la métropole. Ainsi retrouve-t-on en Montérégie la route des vins (Napierville, Sainte-Barbe, etc.), la route du cidre (Hemmingford, Mont-Saint-Grégoire, etc.) et la route des pommes (Saint-Paul-d'Abbotsford, Mont-Saint-Hilaire, etc.).

Surnommée « le jardin du Québec », la Montérégie fait une large place aux activités agrotouristiques. L'intérêt de certains paysages agricoles retient aussi l'attention : Hemmingford, Havelock, Covey Hill, Franklin et Saint-Antoine-Abbé, juchés sur les versants appalachiens et réputés pour la pomoculture, étalent des vues panoramiques remarquables sur toute la vallée montérégienne. Appelé région du Suroît, l'extrême ouest de la Montérégie présente aussi de beaux paysages agricoles où cohabitent la ferme laitière et la culture du maïs et du soya ; l'architecture des bâtiments de ferme dans cette partie de la plaine est particulièrement bien conservée (secteur Howick, Ormstown, Dewittville, etc.). Au cœur de toute cette activité, Saint-Hyacinthe, considérée comme une grande technopole agroalimentaire.

Produits fermiers

Au Domaine des Petits Fruits
101, rang 4 Sud, Saint-Athanase
L'Amour en Cage, liqueur de cerises de terre

Au Panache Royal
590, du Ruisseau Barré, Sainte-Marie-de-Monnoir
Viande de daim et de sanglier

Au Pavillon de la Pomme
1130, boul. Laurier, Mont-Saint-Hilaire
Cidre (visite guidée)

Cidrerie artisanale du Minot
376, chemin Covey-Hill, Hemmingford
Minot mousseux, Domaine du Minot

Cidrerie Coteau Saint-Jacques
990, rang Saint-Charles, Saint-Paul-d'Abbotsford
Coteau Saint-Jacques, Cuvée sur paille

Cidrerie Michel Jodoin inc.
1130, rue Petite Caroline, Rougemont
Cidre et mousseux

Cidrerie-Verger Léo Boutin
710, rang de la Montagne, Mont-Saint-Grégoire
Cidre et chocolat

Domaine des Petits Fruits
Chocolaterie Ody
101, Rang 4 Sud, Saint-Athanase
Chocolats saveur terroir Québec, confitures

Dumont Vins et Spiritueux
175, chemin Marieville, Rougemont
Brandy d'érable *Réserve spéciale Dumont*

Érablière La Coulée d'Abbotsford inc.
780, rue Fisk, Saint-Paul-d'Abbotsford
Produits de l'érable

Ferme l'Autruche Dorée
514, Ruis. Saint-Louis O., Sainte-Marie-de-Monnoir
Produits dérivés de l'autruche

Ferme Malifran inc.
169, rang Rivière-des-Fèves, Saint-Urbain-Premier
Lait de chèvre et produits glacés

La Cidrerie du Village
509, rue Principale, Rougemont
Cidre (visite guidée)

La Face Cachée de la Pomme
617, route 202, Hemmingford
Cidre (visite guidée)

Les Vergers d'Émilie inc.
1372, rue Principale, Rougemont
Coulis, sirop de pomme, tartinades et vinaigrettes

Les Vergers Denis Charbonneau inc.
575, rang de la Montagne, Mont-Saint-Grégoire
Rosée de la pomme, gelée de pomme

Ruchers Richard Paradis
2645, rue Guy, Sainte-Rosalie
Produits du miel (visite guidée)

Sucrerie de la Montagne
300, rang Saint-Georges, Rigaud
Produits de l'érable (site patrimonial)

Verger Léo Boutin
710, rang de la Montagne, Mont-Saint-Grégoire
Cidre *Cuvée versant sud*, beurre de pomme

Verger Mado
342, rue Haut-Corbin, Saint-Damase
Jus de pomme et autres produits

Verger Petit et Fils
1020, chemin de la Montagne, Mont-Saint-Hilaire
Cidre et produits transformés de la pomme

Vignoble Angell
134, rang Saint-Georges, Saint-Bernard-de-Lacolle
Vin blanc et vin rouge

Vignoble Clos de la Montagne
330, chemin de la Montagne, Mont-Saint-Grégoire
Vin blanc et vin rouge

Vignoble des Pins
136, Grand Sabrevois, Sainte-Anne-de-Sabrevois
Vins *Edelweiss*, *Maréchal*, *Mousse des Pins*

Vignoble Dietrich Jooss
407, chemin Grande Ligne, Iberville
Vin blanc et vin rouge

Vignoble du Marathonien
318, route 202, Havelock
Vin blanc et vin rouge

Vignoble La Vitacée
816, chemin de l'Église, Sainte-Barbe
Vin rouge et vin blanc

Vignoble Le Royer Saint-Pierre
182, route 221, Napierville
Vins *Trois Sols*, *La Dauversière*, *Saint-Lambert*

Vignoble Morou
238, route 221, Napierville
Vins *Clos Napierois*, *Morou*

Vinaigrerie Pierre Gingras
1132, rang de la Grande-Caroline, Rougemont
Vinaigre de cidre

Fermes éducatives

Ferme Jean Duchesne
1984, Haut-de-la-Rivière-Sud, Saint-Pie
Fermier d'un jour, programme éducatif

Ferme La Rabouillère
1073, rang de l'Égypte, Saint-Valérien-de-Milton
Introduction à la vie de la ferme

Le Bilboquet, brasseur artisan
1850, rue des Cascades Ouest, Saint-Hyacinthe
Étapes de la fabrication de la bière artisanale

Serres Rosaire Pion et Fils inc.
171, Grand Rang, Saint-Thomas-d'Aquin
Visite et explication du fonctionnement des serres

Musées et interprétation

Centre d'interprétation de la pomme du Québec
11, chemin Marieville, Rougemont
Exposition sur l'origine et l'historique de la pomme

Cidrerie du verger Gaston
1074, chemin de la Montagne, Mont-Saint-Hilaire
Économusée de la pomme

Fourquet Fourchette
1887, rue Bourgogne, Chambly
Centre d'interprétation de la bière

Il était une fois... une petite colonie
2500, route 219, L'Acadie
Maison et bâtiments anciens, petite ferme

Les Élevages Ruban Bleu
449, rang Saint-Simon, Saint-Isidore
Interprétation, *Chèvre d'Or*, *La p'tite chevrette*

Musée agricole René-Bertrand
2864, route 219, L'Acadie
Plus de 1000 machines agricoles anciennes

Produits fermiers

Ferme Floralpé enr.
1700, route 148, Papineauville
Fromages de chèvre, *Heidi et Peter*

La Biquetterie
470, route 315, Vinoy
Fromages de chèvre, *Petit Vinoy, Saint-Félix*

Musées et interprétation

Cabane à sucre chez Ti-Mousse
442, rang Saint-Charles, Papineauville
Musée sur l'acériculture

Ferme des 2 Mondes
1118, montée de la Source, route 307, Cantley
Ferme irlandaise du début du siècle

Chemin de l'Hôtel-de-Ville à Luskville.

Outaouais

Voisinant les Laurentides à l'est et l'Ontario au sud, chapeautée au nord par l'Abitibi-Témiscamingue, la région de l'Outaouais est parsemée d'une kyrielle de petits villages qui rappellent avec beaucoup d'éloquence et de charme l'agriculture traditionnelle. En plus de la vallée de l'Outaouais, assiégée assez tôt par les premiers soubresauts des Laurentides, l'agriculture prend sa place dans une succession de petites vallées aux dépôts fertiles et arrosées par les rivières Blanche, Gatineau, Lièvre, Rouge et Petite Nation. Plus de 75 % des producteurs œuvrent dans le bovin de boucherie ou laitier. Un virage horticole récent semble prometteur ; la MRC Les Collines de l'Outaouais (Cantley, Wakefield, L'Ange-Gardien, etc.) est fort bien positionnée pour offrir les produits frais aux populations des agglomérations urbaines de Gatineau, Hull et Aylmer. Mais revenons aux bœufs de boucherie, qui occupent environ 850 éleveurs, ce qui fait de l'Outaouais la région où la production de veaux d'embouche est la plus importante du Québec, surtout dans le secteur de Shawville où les éleveurs possèdent une longue tradition avec des parcs d'engraissement de plus de 1000 têtes (Quyon, Onslow).

L'industrie laitière y vient au second rang (90 producteurs) mais connaît une régression faible quoique constante en faveur du bovin de boucherie. C'est dans la MRC Papineau que les producteurs de lait se concentrent, plus précisément dans les municipalités de Lochaber, Saint-André-Avellin, Masson – Thurso et Sainte-Angélique. D'autres productions, très spécialisées, profitent de la vocation touristique ou de villégiature de quelques municipalités : on retrouve par exemple deux fabricants de fromage de chèvre (Papineauville et Chénéville). L'un des défis futurs de la région, principalement dans le secteur de Maniwaki – Bouchette, est celui de l'acériculture : sur les 10 millions d'entailles recensées en Outaouais, à peine 5 % sont exploitées.

Québec

Avenue Royale à Château-Richer.

S'allongeant de la côte de Beaupré à la région de Portneuf, incluant l'île d'Orléans, la région agricole de Québec est relativement peu étendue. La présence affirmée de la forêt à mesure que la plaine s'essouffle fait se concentrer l'activité agricole à quelques kilomètres à peine des rives du Saint-Laurent et encore cela n'est-il vrai que pour certaines municipalités comprises entre Saint-Augustin-de-Desmaures et Grondines. Du côté de la côte de Beaupré, l'agriculture est prise dans un étau, disséminée parmi les développements résidentiels ; l'horticulture, activité ancestrale comme en témoignent les caveaux de l'avenue Royale, conserve une certaine notoriété mais la côte de Beaupré compte pour peu dans le portrait agricole de la région. Ce dernier a ses assises véritables autour de deux noyaux verts : le secteur de Portneuf et celui de l'île d'Orléans.

Dans Portneuf, la production laitière vient en tête de liste : établie principalement le long des rives du Saint-Laurent, elle devance la culture de la pomme de terre qui modèle l'arrière-pays, dans les municipalités de Saint-Ubalde, Sainte-Christine, Saint-Casimir et Pont-Rouge. L'acériculture n'est pas en reste avec ses 300 producteurs de l'arrière-pays, les érablières rencontrées dans les paroisses riveraines faisant figure d'exception. L'activité porcine est peu importante si ce n'est une concentration d'entreprises à Sainte-Christine.

À l'île d'Orléans, l'horticulture est l'activité maîtresse avec ses fraises, ses framboises et ses pommes reconnues. Les municipalités de Saint-Jean, Sainte-Famille et Saint-Pierre monopolisent l'activité horticole. Entre ces deux noyaux caractérisés que sont l'île d'Orléans et le secteur de Portneuf se faufilent des productions aux retombées moindres mais dont la réputation est généralement bien établie : le blé d'Inde de Neuville, la dinde de Valcartier, le cassis de l'île d'Orléans et la prune de L'Ange-Gardien. La Route des Fleurs de Portneuf, un itinéraire touristique serpentant à travers 18 municipalités, favorise le développement de l'horticulture ornementale.

 Produits fermiers

Érablière Le Chemin du Roy
237, chemin du Lac, Saint-Augustin-de-Desmaures
Produits de l'érable et animation

L'Autruchière du Grand Portneuf
1181, route 354, Chute Panet
Produits de l'autruche (visite guidée)

Vignoble de Bourg-Royal
1896, rue des Érables, Charlesbourg
Vin blanc et vin rouge

Ferme Monna
723, chemin Royal, Saint-Pierre
Apéritif, liqueur et madérisé de cassis

Vignoble Sainte-Pétronille
1 A, chemin du Bout-de-l'Île, Sainte-Pétronille
Vin blanc et vin rouge

Ferme Piluma
150, rang Sainte-Angélique, Saint-Basile
Fromages *Le Chevalier Mailloux*, *Saint-Basile*

Fromagerie Cayer inc.
500, rang Saint-Isidore, Saint-Raymond
Saint-Honoré, *Paillot de chèvre* et *Bleubry*

Halte des Cerfs
699, rang Saint-Isidore, Saint-Raymond
Produits dérivés du cerf

 Ferme éducative

Ratites sans frontière
52, route 138, Grondines
Visite guidée

 Musées et interprétation

Ferme Miri
55, rang C, Saint-Ubalde
Centre d'interprétation de l'érablière

Fromagerie de la Capitale
1273, boulevard Charest Ouest, Québec
Interprétation sur la fabrication du fromage

Musée de l'Abeille
8862, boul. Sainte-Anne, Château-Richer
Économusée du miel

Saguenay – Lac-Saint-Jean

Rang de la Belle-Rivière à Saint-Gédéon.

V ouée à l'industrie laitière depuis la fin du XIXe siècle, la région est demeurée fidèle à ses orientations agricoles premières. La fromagerie Perron de Saint-Prime et les infrastructures de transformation de la coopérative Nutrinor et du groupe Lactel en sont d'heureux témoins. Sur les plateaux d'Hébertville et de Lac-à-la-Croix, on retrouve une belle concentration de fermes laitières, de même que dans Normandin et Albanel. L'agriculture se tourne pour l'autre moitié vers l'horticulture, principalement vers la pomme de terre et le bleuet. Les bleuetières nichent pour la plupart sur la rive nord du lac et forment le « croissant bleu » ; depuis deux décennies, la production en bleuetières a grandement évolué : grâce aux usines de congélation, ce fruit est exporté un peu partout dans le monde. Les produits dérivés du bleuet se multiplient mais le chocolat aux bleuets des pères Trappistes de Mistassini de même que *Le Minaki*, un apéritif aux bleuets, demeurent des classiques.

La culture de la pomme de terre se confine autour de Péribonka – Mistassini et Saint-Ambroise – Bégin. Au total, une trentaine de producteurs mettent en culture plus de 2600 hectares ; 40 % de cette production est orientée vers la pomme de terre de semence alors que le pourcentage restant est destiné à la consommation. Un peu plus au nord, l'agriculture se pratique sur une base plus extensive et les sols sont utilisés en bonne partie par l'élevage bovin. Les autres élevages demeurent marginaux : c'est le cas de la volaille, des œufs et du porc, concentrés entre les mains de cinq ou six producteurs. Cependant, la production ovine est en ascension constante. La gourgane est cultivée sur une surface d'environ 200 hectares dans la région d'Hébertville, Saint-Bruno et Lac-à-la-Croix. Le canola connaît depuis 10 ans un vif succès avec plus de 3500 hectares en culture. La région expérimente enfin plusieurs cultures nouvelles comme le chanvre, la canneberge, le pois sec et le ginseng.

Produits fermiers

Bleuetière Saguenay
701, rue Léon, Saint-Honoré
Ketchup aux bleuets

Bleuets Mistassini
555, rue Dequen, Mistassini
Confitures, tartes

Cerf du Saguenay enr.
1401, chemin du Cap, Saint-Honoré
Produits de la ferme (visite guidée)

Érablière Au Sucre d'Or
917, rue du Boulevard, Laterrière
Produits de l'érable

Ferme de la Petite Heidi
504, boul. Tadoussac, Sainte-Rose-du-Nord
Fromage de chèvre (visite guidée)

Ferme des Bisons
612, rang des Sables, Chambord
Produits de l'élevage (visite guidée)

Ferme des Chutes
2300, rang Eusèbe Simard, Saint-Félicien
Fromage biologique (visite guidée)

Fromagerie Boivin
2152, chemin Saint-Joseph, La Baie
Fromage (visite guidée)

La Ferme Cinq Étoiles
465, route 172 Ouest, Sacré-Cœur
Visite commentée d'une ferme familiale

Les Brasseurs de l'Anse
182, route 170, L'Anse-Saint-Jean
Bières *Folie Douce*, *L'Illégale* et
La Royale

Les Serres Sagami inc.
2022, chemin de la Réserve, Chicoutimi
Tomate (visite guidée)

Fermes éducatives

Ferme du Clan Gagnon inc.
26, rang du Poste, Métabetchouan
Visite guidée de la ferme laitière

Ferme Lehmann
291, rang Saint-Isidore, Hébertville
Visite de la ferme laitière et des jardins

La Camaraderie
5704, rang Saint-Isidore, Laterrière
Ferme pédagogique axée sur la production laitière

Musées et interprétation

Bleuetière Michel Rivard
315, rang 9, Saint-Ambroise
Centre d'interprétation et visite guidée

Centre de mise en valeur du bleuet
675, rue Melançon, Saint-Bruno
Exposition et interprétation

Centre d'interprétation de l'agriculture et de la ruralité
281, rue Saint-Louis, Lac-à-la-Croix
Expositions, visite à la ferme, animation

La vieille fromagerie Perron
148, 15ᵉ Avenue, Saint-Prime
Musée du cheddar

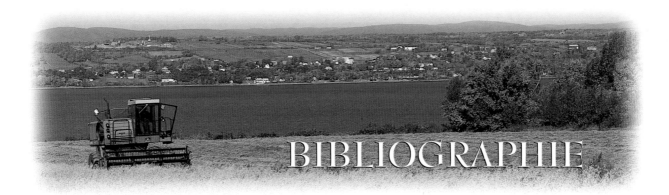

AUBÉ, Claude, *Chronologie du développement alimentaire au Québec*, Saint-Jean-sur-Richelieu, Les Éditions du Monde alimentaire inc., 1996.

BLANCHETTE, Jean, BOILY, Lise, *Les Fours à pain au Québec*, Ottawa, Musée national de l'Homme, 1976.

COURVILLE, Serge, *Entre ville et campagne*, Québec, Les Presses de l'Université Laval, 1990.

DEFFONTAINES, Pierre, *L'Homme et l'hiver au Canada*, Paris, Gallimard et Éditions Universitaires Laval, 1957.

DORION, Jacques, *Saveurs des campagnes du Québec*, Montréal, Les Éditions de l'Homme, 1997.

DORION, Pierre A., *Les Bovins de boucherie*, Québec, Ministère de l'Agriculture et de la Colonisation du Québec, 1963.

EN COLLABORATION, *Cours d'agriculture*, Oka, Institut agricole d'Oka, La Trappe, 1937, tomes 1, 2, 3 et 4.

EN COLLABORATION, *Habitation rurale au Québec*, Montréal, Hurtubise HMH, 1978.

EN COLLABORATION, *Manuel d'agriculture*, Québec, Les Ateliers de l'Action catholique, 1934, tomes 1 et 2.

ETHNOTECH INC., *Les Fours à charbon de bois de Saint-Raymond-de-Portneuf*, Québec, Rapport non publié, 1980.

FRÈRE ISIDORE, *Le Mouton et la chèvre*, Oka, La Trappe, 1946.

GUAY, Donald, *Chronologie de l'industrie laitière au Québec (1608, 1992)*, Québec, Ministère de l'Agriculture, des Pêcheries et de l'Alimentation du Québec, 1992.

GUERTIN, Pierre S., *Méthodologie d'implantation des bâtiments et d'aménagement de la cour de ferme*, Québec, Université Laval, 1990.

HAMELIN, Louis-Edmond, *Le Rang d'habitat*, Montréal, Hurtubise HMH, 1993.

KESTERMAN, Jean-Pierre, *Histoire du syndicalisme agricole au Québec U.C.C.-U.P.A. 1924-1984*, Montréal, Boréal Express, 1984.

LESSARD, Michel et MARQUIS, Huguette, *Encyclopédie de la maison québécoise*, Montréal, Les Éditions de l'Homme, 1972.

LÉTOURNEAU, Firmin, *Histoire de l'agriculture, (Canada français)*, Montréal, (s. éd.), 1968.

MARQUIS, Alfred, *Caractéristiques physiques et économiques des principaux silos-tours*, Québec, Thèse de maîtrise ès sciences agronomiques, Université Laval, 1969.

MINVILLE, Esdras, *L'Agriculture*, Montréal, Fides, 1943.

MORISSET, Michel, *L'Agriculture familiale au Québec*, Paris, Éditions l'Harmattan, 1987.

PROVENCHER, Jean, *Les Quatre Saisons dans la vallée du Saint-Laurent*, Montréal, Boréal, 1996.

RÉVÉREND PÈRE LÉOPOLD, *La Culture fruitière dans la province de Québec*, Oka, La Trappe, 1914.

ROY, Jean-Baptiste, *L'Histoire de l'aviculture au Québec*, Québec, Ministère de l'Agriculture, 1978.

SÉGUIN, Robert-Lionel, *La Civilisation traditionnelle de l'habitant aux 17e et 18e siècles*, Montréal, Fides, 1973.

SÉGUIN, Robert-Lionel, *Les Granges du Québec du XVIIe au XIXe siècles*, Musée national de l'Homme, 1963.

Page précédente : Montée Vinoy, Chénéville.

REMERCIEMENTS

Pour réaliser *Un dimanche à la campagne*, il aura fallu passer des jours sur le terrain, rencontrer des agriculteurs, des agricultrices, souvent bons pédagogues, pour qu'ils éclairent ma lanterne sur la chose agricole. J'avais en main une bonne carte d'entrée, soit l'appui de l'Union des producteurs agricoles du Québec (UPA). D'abord, le dynamisme et l'empressement de madame Sylvie Marier, directrice des communications à l'UPA, puis la disponibilité et la générosité des responsables des Fédérations régionales. Des coups de fil, des conversations sur le terrain, des télécopies me rendent redevable aussi à un bon nombre de personnes-ressources du ministère de l'Agriculture, des Pêcheries et de l'Alimentation du Québec (MAPAQ). J'adresse à tous mes remerciements en souhaitant qu'ils trouveront dans ce livre gratification à leur collaboration.

Sylvie Raymond (Bas-Saint-Laurent), Raynald Lapointe, (Saguenay – Lac-Saint-Jean), Marc Letarte, Jeannot Lachance (Québec), Camil Caron (Mauricie), Patrick Chalifour (Estrie), Dave Fisk (Outaouais), Rodrigue Roy (Abitibi-Témiscamingue), Guy Grenon (Côte-Nord), Louis Roy (Gaspésie – Îles-de-la-Madeleine), Pierre Tremblay (Chaudière-Appalaches), Lucie Jamieson (Laval), Jeannick Choquette et Danielle Roy (Lanaudière), Normand Bourgon et Daniel Benoit (Laurentides), Hugues Saint-Pierre (Montérégie), Claude Marchand (Centre du Québec), Victor Larivière et Hugues Belzile de *La Terre de Chez Nous*, Jean Vigneault de la Fédération des producteurs de lait du Québec, Nicole Presseault, documentaliste à l'UPA, Jean-Paul Lemay et Alfred Marquis, de la faculté des sciences et de l'agronomie de l'Université Laval, Robert Filion, du Centre du développement du porc de Québec, Roger Turcotte du MAPAQ, Luc Dubreuil, ingénieur du MAPAQ à Sainte-Marie-de-Beauce, Pierre Demers directeur-adjoint de la Direction des services technologiques au MAPAQ, l'abbé Paul-André Leclerc du musée François-Pilote de La Pocatière. Des remerciements bien particuliers aussi à Normand Bilodeau et Guylaine Savoie, producteurs laitiers d'Issoudun dans le comté de Lotbinière.

Merci également à Yves Laframboise pour les photos aux pages 63 (barraque), 128 (grange ronde),137 (ferme), à Yves Déry pour la photo à la page 120 et à Anne-Marie Ouellet pour la photo à la page 121 (bœufs).

Jean-Baptiste Falardeau, rang Saint-Joseph, Saint-Alban.

Salutations des gens de la terre !

L'Union des producteurs agricoles

est heureuse d'avoir collaboré à la réalisation de cet ouvrage.

♣